林慶彰 總策畫
民國時期稀見期刊彙編
第一輯

哲學科研究年報⑩

臺北帝國大學研究年報

第十四冊

哲學科研究年報

第十輯

臺北帝國大學文政學部

臺北帝國大學
文政學部

哲學科研究年報 第十輯

目次

大東亞新秩序の建設と教育問題

伊藤猷典

目次

序說　大東亞新秩序の構想

ローゼンベルグは其著二十世紀の神話に於て、來るべき新らしい國家組織として、黑人は亞弗利加へ還元し、東亞は東亞人の支配下に、かくして獨逸を中心とした北歐圈、印度を含めた英國圈、あめりか白人を中心とした南北あめりか圈、伊太利指導下の南歐圈と合計六圈よりなる廣域圈的世界秩序を豫想してゐるが、（アルフレット・ローゼンベルグ著、吹田順助、上村淸延共譯二十世紀の神話五〇一頁以下參照）吾々日本人はこの問題に關し如何樣に構想すべきか。教育問題の論究に先つて、この問題に關するわが國專門家の意見を徵することもまんざら無益でもあるまい。左に約說しよう。

い、廣域圈的世界秩序の條件と樣相

世界新秩序の方向は歐洲の世界支配や、英帝國の制覇の如き姿から脫却し、世界各地域の現實に卽して自主的廣域圈を建設し、その圈內に於ては諸民族間の有機的な指導、協同の關係に依つて、共存共榮の共同體制を確立するにあり、且つかゝる廣域圈の成立しうべき要件は凡そ次の如くである。

1　現代戰の本質に適合すべき國防空間たること。

2　現代總力戰の要請に適合すべき經濟の自給自足性を有すること。
3　歴史的、地理的、文化的、人種的に連帶性の存在すること。
4　實力を有する中樞指導民族の存すること。

右の如き諸要件を充足せしむるに足る、世界の廣域圈を構想するに、凡そ次の如き四箇の廣域圈が考へられる。

1　バルカン、アフリカを含めての歐洲
2　西半球の南北アメリカ
3　日滿支を中心とし、大南洋、印度洋を含めての大東亞
4　西アジア方面を含めてのソ聯或はその後繼者

而して前記第三の大東亞の廣域圈の範圍を更に具體的に記するならば、日本、滿洲、蒙古、支那、東部西比利亞、佛印、泰、ビルマ、マレー、印度、蘭印、濠洲、ニユージーランド、フイリツピンを包含するものと考へられると。

一高教授、龜井高孝氏の談によると、一高圖書館に藏されてゐる E, Andriveau-Goujon: Atlas universel de Géographie moderne これは明治元年から三、四年頃に出來た地圖の由なるが、それによると、アフリカ內地や、大東亞海をめぐる諸島の數々が無地のまゝで歐人の侵略を受けてゐないとのことである。詳言すると、マレー半島はその突端までシヤム國と同色に塗られて居る。舊蘭領東印度にあつてはマレー半島と相面してゐるスマトラの西北の部分約四分の一ほどと、ボルネオ島の北の半分、ニユーギニーの東部約三分の二ほどは全く白地である。ビスマルク群島の悉くが無所屬であり、フイリツピンはダヴアオを中心とするミンダナオ島の南半も白地のまゝである。濠洲は Australia ou Nouvelle Hollande と記されて、その大半は事實上無所屬であり、たゞ南緯三十度以南の濠洲東南部だけが英領の色別にぬられてゐるばかりであり、かうした地圖を見ると現在我國が此等の地域を歐洲人の手から取還したところで何の遠慮もいるわけではなく、むしろさうするのが當然至極のやうにさへ思はれる。オーストラリヤに到つては尙更の氣がするとのことである。（龜井氏の言とプツゲルの歴史地圖第三九圖、第三九 a、第三九 b 圖とを對比すると年代に關し、小異はあるが暫くその儘に記す）

前述の如き東部西伯利亞・印度・濠洲・ニュージーランドを含めた大東亞共榮圏が成立するのはいつの日か吾人の容易に想定し得ない所ではあるが、しかし大東亞戰開始以來皇軍の進駐した諸地域は當然日本を中樞指導國とする共榮圏と見做さるべく、且次に說く國防、經濟の點を考慮するとき、東部西伯利亞、濠洲等も外交交渉其他何等かの方法に於てわが共榮圏内に編入さるべき宿命にあるものと見るべきであらう。

大東亞新秩序の構想に當つて特に注意すべきは支那問題である。支那事變の處理に關し文部省が臣民の道第一章、新秩序の建設に於て左の如く說いてゐるのは妥當と云はなければならない。蓋し米英との此度の戰も支那問題善處の爲めの一手段にすぎないからである。

支那事變は蔣介石政權の打倒をもつて終るべきものではない。我が國としては、支那を誤らしめた東亞に於ける歐米勢力の禍根を芟除し、大東亞共榮圏の一環としての新しき支那の建設に協力し、東亞竝びに世界が道義的に一つに結ばれるまでは堅忍不拔の努力を必要とする。……卽ち政治的には歐米の東洋侵略によつて植民地化せられた大東亞共榮圏内の諸地方を助けて、彼らの支配より脫却せしめ、經濟的には歐米の搾取を根絕して共存共榮の圓滑なる自給自足經濟體制を確立し、文化的には歐米文化への追隨を改めて東洋文化を興隆し、正しき世界文化の創造に貢獻しなければならぬ。

ろ、東亞共榮圏の國防空間

外敵に對する防禦の立場から東亞共榮圏の樣相について專門家は次のやうに說く。

國防空間としてこの圏域を見るときは大陸正面はヤブロノイ、スタノボイの兩山系を背景に、興安嶺、ゴビ砂漠、黄河等を以て他の部分と境し、自然的なる障壁を爲して防禦上極めて有利の地勢にあり、海洋正面に於ては、太平洋、印度洋等を以て他の部分と隔絶し、自然的に絶對有利の防禦正面をなしてゐる。

而もこの圏域内部は大陸と連互する群島の配置極めて適切であつて、多島性、半島性に富み、特にこの内に含まるゝ大東亞海は太平洋と印度洋の通路に當ると同時にアジアと濠洲の兩大陸間の緩衝帶を構成する鎖鑰空間を形成し、四方の想定敵國に對し內線に占位し、多島的構造を有し、小島嶼にして大地域又は大島嶼に對し發展的尖端部を構成するもの多く「大空間に對する小空間の支配」なる重要戰略原則に合致するものが多いとのことである。

而もこの圏域のかゝる國防空間としての有利性に加へて、經濟空間及交通空間としての有利性を併せ考へるならば、地政學的に見て、カリブ海竝に地中海に比し遙かに優れたる條件を具備することを理解しうる。

これによつて防禦の態勢を考へるに、陸軍は大陸正面の自然的防壁を利用して防衞の全きを期する外、南洋群島及び濠洲方面に於ては治安維持及び敵の上陸作戰阻止に任ずるを以て足るべく、海軍は圏域內各要地に適切なる根據地を構築することに依り、大東亞海を利用して所謂內線作戰の利を十二分に發揮し、隨時隨所に略々その全力を移動集中することが可能である。殊に適切なる基地を設定して航空機の全能を驅使すれば、大陸海洋何れの部分に對しても、極めて容易に移動集中が可能であり、この圏域內にある敵軍隊、軍艦、竝に根據に對して、絶大なる威力を發揮し得るのである。

從つて敵側の作戰から見れば、この圏域に接近するためには海上よりの廣漠たる大洋を渡航するの困難を有し、陸上よりは大山脈大砂漠の險に阻まれなければならず、而も圏域內に到達するも先づ航空機の威力に對する冒險を犯さなければならない。

は、東亞共榮圏の經濟的自給自足性

この問題について專門家は次のやうに說いてゐる。

現代の戰爭は總力戰と云はれてゐる。總力戰の特色は戰爭勝敗の決定的要素となるものは軍隊の優劣强弱にあらずして一國家機構中の最弱點が突かれるといふことである。戰線にて一人の兵士を充分に活動せしめるためには防禦の場合には十三名、攻擊の場合には二十名を要すと。

これは人員についてゞあるが、同時に資材も必要である。現代の如く大規模にして高度に機械化、立體化されたる戰鬪に要する資材は加何に高度の計畫統制を以てしても一國のみで自給自足することは不可能であり、現代軍需品の生產に不可缺の鋼鐵、銅、鉛、錫、マンガン、ニツケル、クローム、アンチモニー、タングステン、水銀等の諸金屬、硝酸、硫酸、窒素等の諸化學品、石炭、セメント、ゴム、羊毛、綿花等の諸原料、艦船、飛行機、戰車、自動車の動力燃料等は是が非でも保有しなければならないが、此等の諸資材を充分に自給自足することは、世界の最も富裕なる國と雖もなほ到底不可能なることであり、こゝに於てか必然に廣域經濟圈が不可避の要求となる。

しからば大東亞共榮圈はかゝる要求に叶ひうるやといふに、米、砂糖、木材、ゴム、麻、鐵鑛、非鐵金屬、石油、石炭等は元より、更に印度の棉花、濠洲の羊毛等を數ふれば、この圈域には極めて豐富なる國防資源が賦存する。

而もこの圈域は地理的に密接な連帶性を有し、時に資源分布が海岸線に接近するもの多く、直接海洋の媒介によつて、資源の大量、迅速、經濟的なる開發、輸送が可能であり、加之多島性、半島性に富むの結果、港灣錨地も極めて多く、更に勞働力並に市場源泉として總計十餘億に及ぶ人口を抱擁してゐる。

に、大東亞共榮圈建設と思想文化

大東亞共榮圈が眞の生命有機體的結合として確立されるためには鞏固なる精神的紐帶に依つて魂と魂との結合が齎らされることが何よりも必要である。力に依る結合は力に依つて破れ、條約的結合は自由意志によつて解消し、經濟的結合は利害の相反に由つて崩壞する。如何なる苦難にも潰えざる强靱なる結合は獨り魂と魂との結合のみである。

魂と魂との結合は如何にして可能か。このことは人生觀・世界觀を一にすることによつて可能でなからうか。何故ならば人生觀、世界觀は魂の依つて以て存する根柢をなすものであるからである。さて然らば如何なる世界觀を操るべきかについては第一節に於て述べるであらう。

ほ、大東亞新秩序內に於ける臺灣島の地位

昭和十六年末迄は臺灣は日本の南端と云はれてゐたが、今日では地理的には日本の中心であり、同時に東亞共榮圈の中央に位することゝなつた。試みに地圖を擴げて見よ。南北に北滿とチモール島を連結する直線上の中央は恰度臺灣に當り、又東西に孟買と大鳥島とを結ぶ直線上の中央は臺灣島の南、バシー海峽に當る。又斜に樺太の北緯五十度の地とスマトラ島のベンクレンを結ぶ直線上の中央は恰度臺灣の北端アジンコート附近に當り、更に奇緣とも云ふべきはアリユーシヤン列島中のダッチハーバーとマダカスカル島の北端デエゴ・スワレスを結ぶ直線上の中央は恰度臺北に當ることである。

かく不思議な事に從來は日本の端であつた臺灣が、大東亞共榮圈の中央に位することゝなつた。

この中心的な意味は教育上の問題に於て特に然りと感ぜられるものでなからうか。東亞共榮圏内の各地に於て日本語竝に日本精神普及について嚮導垂範の役割を演ずるものは、臺灣に於いて漢民族に對してなした過去四十八年間の經驗に外ならない。この意味に於て吾々臺灣在住敎育者の責務は愈々重大なるを痛感致すものである。

第一節　世界觀的人生觀的基礎

第一　世界觀人生觀の必要なる理由

世界觀人世觀を說くことの必要は先きに一寸觸れたやうに魂と魂の結合の爲に必要であるのであるが、尙その外に次のやうな要求がある爲である。

い、新秩序の意味の徹底の爲

世界の支配者が單に甲國から乙國に移るのみであるならば何等新秩序と呼ぶことは出來ない。新秩序はより高く、より正しい秩序でなければならない。而してそれは又單に機械的に現狀を變革するといふのみではなく、平常の生活原理そのものが、より高く、より正しい秩序に適合するやうに考慮せられなければならない。

新といふ言葉を使用することに關して、嘗ての興亞院北支連絡部文化局長、坂本龍起氏によれば、支那人は新といふ言葉を好まぬ。新はやがて舊になるものであるからと。坂本氏の接しられた支那人がどの程度の教養ある人で有つたかは知る由もないが、有名な大學の語、日新の精神を汲みうる人ならば異論のないことゝ信ずる。

ろ、原住民の協力の必要の爲

廣域圏は或る程度武力による强制も可能であり又或る場合にはそれが必要でさへある。併し現代戰の要求する國防圏、經濟圏は原則的にはこれに屬する諸民族の自發的協力を必要とし、かゝる自發的協力は到底武力のみでは有效適切に確保され得ないので　こゝに廣域圏内の構成原理としての魂と魂との接觸の原理を引出す必要を生ずるのである。

は、長期戰に際し、敵國側よりする社會心理の攪亂に備ふる爲に

世界秩序の維持轉換の支柱をなす如き大國と大國との間に於ては速戰卽決は概ね困難で而も長期戰の特徴の一としての戰略は敵國に對する封鎖であり、海外物資の獲得、國内生産の妨害、社會經濟生活の攪亂、社會心理の擾亂が、極めて重要とならざるを得ぬ。

尚又先きに述べたやうな四分された世界の新秩序が一應生れたとしても、世界がそのまゝ永久の安定に落着するものと期待することは出來ない。その次の段階として必ずや又建設の途上にある、或は一應建設を終へたる廣域圏と廣域圏との間に決勝的爭覇戰を豫想しなければならぬ。この故に一面戰爭、一面建設の異常なる難事業を伴ひつゝ、世界秩序の轉換過程は、相當の長年月繼續するものと考へなければならぬ。

に、科學的方法の勝利の爲に

この事項については既に哲學科研究年報第九輯に掲載した拙稿、東亞新秩序と世界觀的基礎の冒頭に於て述べたからこゝでは略する。

第二 主要なる世界觀中吾人の操り難き點

本問題についても一より七迄は既に前記年報に掲載濟であるから、その續きを次に掲載する。

八 其他の問題

い、八紘一宇の眞精神

八紘一字といふ言葉はこゝ數年來日本の國是を示す重要なる言葉となり、昭和十五年八月一日第二次近衞內閣發表の基本國策の要綱、一　根本方針にも「皇國の國是は八紘を一宇とする肇國の大精神に本づき云々……」と述べられて最早搖ぎなきものとなつたので、日本國民としては何等危惧の念を抱く必要はないのであるが、外人との關係に於て眞意義を把握して置く必要があると思ふので、且つこのことは自分が大陸旅行から得た收獲の一つでもあるので一言觸れて置く。

この八紘一宇といふ言葉は隣國人からは帝國主義であるとして嫌はれてゐるといふことである。その例としては蘭領ジャワに於ては、我國で製造した蓄音機のレコード板愛國行進曲にはその歌詞中に「行け八紘を宇となし」なる句があるので輸入禁止になつてゐるとはジャワから歸つた人の實話である。（昭和十五年の話）

又昭和十五年三月九日佐藤匡玄氏に案內されて北京大學祕書長錢稻孫氏を訪問した際の氏の會談中に八紘一宇は日本を中心とせるもの、世界に通用しない。人類は同じと見る立場に立たなければならないとの說があつた。

しかしこの問題に關しては蒙疆の前線にあつて直接に東亞新秩序建設の聖業の衝に當つてゐられる少壯行政官前島氏の說が妥當のやうに思はれるから氏の說を紹介する。氏は曰く、神武天皇の御詔勅の掩八紘而爲宇の句もさることながら、その前段が特に必要である。然後の前が必要であると。

前段とは「夫大人立レ制、義必隨レ時、苟有レ利レ民、何妨二聖造一……上則答二乾靈授レ國之德一、下則弘二皇孫養レ正之心一」なる句である。日本民族たるものは八紘を以てわが宇《イヘ》となす前に、先づ民を利し、正を養ふの心を弘めなければならない。民が利され、正しき道が弘められたならば、八紘は期せずして一宇の如くなり、東亞の新秩序も成立つであらう。日本の國是とする八紘一宇とは帝國主義と解さるべきものでなくして、上海大道政府成立の當初發表せる宣言の要約文にあつた天下一家、萬法歸一の場合の天下一家の意味と同一であり、斷じて帝國主義に解さるべきではない。

八紘一宇なる語に對し右の如き危懼を抱いてゐた自分は、昭和十七年八月廣島に於て開催された、文部省教學局日本諸學振興委員會主催第四回教育學會に出席、最後の日の午後、委員と研究發表者との懇談會の席上に於て、卑見を開陳、教學局長官藤野氏に訊したる所、八紘一宇なる句は文部省に於ても、此處數箇月以來公文書には使用しなくなつたとの答へであつた。

ろ、經濟的利己主義

前揭の錢稻孫氏の談話中に次のやうな話があつた。曰く、日支間に本來怨はない。あるのはただ利害關係のみ。利を以て爭へば永久に和することはない。この支那に於て、支那人が全部無くなり、日本人のみ住居することゝなつても、利を爭ふ限り闘爭は無くならないであらうと。實に至言と云はなければならない。利を以て爭ふ限りは何人の間に於ても、最も親しかるべき家族間に於ても爭は絶えないであらう。

印度ラクナウ中學校長・カリ・ダス・カプル氏は其著 Japanese Education の末尾に掲げたる「日本に對する苦言」と題する一文中に、日本はアジアに於て重大使命を有してゐる。しかし今迄取り來つた道は充分なものと云へない。それは政治的經濟的征服であつた。この種の征服は永續きしない。のみならず被征服者から背負投を喰ふことすらある云々〳〵※」と警告してゐたことは吾人として考ふべきことでなからうか。

※　本文は汪精衞の新國民政府樹立前に執筆したもの、現在は日本の眞意を理解してゐることゝ信ずる。

は、民族個人主義

單なる個人を單位としないで、一民族を單位とした個人主義がある。これは民族個人主義と呼ばれてゐる。民族個人主義とは一つの民族が盛へるためには他の民族を犧牲にするか、乃至は排斥しなければその民族は榮えられないといふのである。民族個人主義は或る一民族、例へば日本なら日本の統一には都合のよい、團結には都合のよい國內的手段である。しかしその民族主義で國內を統一する爲に、又は民族を團結させる爲に、他の民族を犧牲にするといふことであつてはならない。或は又他の特定民族を目標にきめて、それに對抗して民族の團結を圖るといふことが文化の向上の爲であるならば奬勵すべきことであるが單なる鬪爭の爲であるならば危險である。他の民族と協同し、恰も天下は一家の如く、八紘は一宇の如くに各々其の所を得て暮さしむべきであらう。

殊に東亞民族の中樞を以て自任する大和民族は他の東亞諸民族に對して注意しなければならない。この點については民族共和の項で再說するであらう。

第三　吾人の操るべき世界觀

自分は先きにヘーゲルに於て見る如き世界史に於ける理性支配の信仰を排し、かゝる見方は歷史上の事實に反する旨をランケの說を引用しつゝ强調したのであつた。しからば世界史を動かすものは何であると見るべきか。

一、世界史を動かすもの――民族的國家

カント哲學の著明な效績は認識論上コペルニクス的轉回をなし、世界構成の中心に自我を置い

たことであつた。同様の見方を世界史の進行に於ても取ることは出來ないであらうか。認識世界を構成する意識は單なる個人の經驗的意識ではなく、個人を超越せる意識一般であつたと同樣に、世界史の運行を規定するものも單なる個人を超越せる人間一般とも云ふべきものでなければならない。しかしこゝで人間一般と稱することは抽象に失する。個人を超越し、而も人間一般に到らぬもの、それは卽ち民族でなければならない。世界史を動かすものとして國民的乃至民族的立場を强調した人にランケがあつた。

い、ランケの說

ランケは世界史を動かすものは生命を產出する精神的の創造力、それ自體に於て生命たるもの、道德的精力である旨を强調してゐるが、(ランケ、村川堅固譯、世界史論進講錄、三八五頁參照)そのことを述べる直前に、その當時の國家の存立の根柢となれるものは國民主義であることを看破し、この國民主義より新生命を受くることなかりしならば各國の運命は如何なりしか、國家がこの主義なくして存立しうるとは何人も信じないであらう。國家に取りては國民主義を涵養徹底することこそ最も肝要なることである。領地の廣袤、軍隊勢力の多少、財力の大小、乃至は一般文化への寄與等のみが國家に取りて價値あるものゝ如くに見るのは大なる謬見である旨を婉曲に述べてゐることは特に吾人の注意すべき點でなからうか。（同上、三八四―五頁參照）我々がこのことを現代的な知識を以て確認する爲には現代獨逸に於て行はれてゐる新人間觀を知ることが必要にして且便利であると思ふから、次にそれを述べることゝする。

ろ、新人間觀

ナチス獨逸が勃興し、思想家、學者が之に協力するやうになつてから此等の人々の說く人間觀か學界に於ける支配的地位を占め、舊來の說は斥けられるやうになつた。このことは同時に我が日本に於ても影響する所極めて大である。但しこのことは獨逸が始めたから日本も始めるといふ意味でなく、舊來の人間觀は抽象的で現實の人間を說明しえず、從つてそれから來る世界觀は現實の人間を動かす力を持たなかつたことに歸因する。現實の人間を動かす爲には世界觀を新たにしなければならず、世界觀を新たにする爲には人間の本質を新たに見直さなければならなかつたのである。見直された人間觀は從來の哲學の主潮流をなすものとは全く別のものであつた。今理解の便の爲、初めに舊人間觀を說き、次に新人間觀を述べよう。（K. F. Sturm : Deutsche Erziehung im Werden. 1935. S.74 ff 參照）

a 舊人間觀

第一次世界大戰前後迄獨逸を支配してゐた哲學は意識の哲學であつた。彼等の意見に從へば人格の中心は意識である。理性である。人間は意識によつてのみ世界を知りうる。從つて意識は存在よりも先きにある。吾人に對して與へられたるものは事物ではなくして意識內容感覺表象である。この意識に於て正當と認められうるもののみが、またこの意識から構成されうるもののみが存在である。從つて精神は身體よりも、理想は現實よりも上位にあると。

彼等に取りては人間は神に似たるもの、理性的動物であり、人間の暗黑面については無關心であつた。

b　新人間觀

具體的人間のみが實際上の完全なる人間である。實際上の人間は根原的な一定關係から決して離れることの出來ないものである。人間は本質上、それ自身で完結した實體ではなく、寧ろ常に宇宙的、歷史的關聯の中に住み、世界との多角的關聯のみから理解されうるものである。從つて認識竝に評價作用の行はれる意識の領域は吾人の精神生活の唯一のものでなくして、全體の中の一小切斷面にすぎなく、寧ろそれは、凡眼を以ては判別しえざる或る深邃なるものについての、偉りの、皮相の、反映にすぎないのでないか。十九世紀の中葉、ショーペンハウエルやフォイエルバッハの學說中には、長い間見逃がされてゐた吾人の生命の根柢が明かにされるやうになり、無意識の心理學が現はれた。

彼等は曰く、人間の生長、發達は、その大部分は自分自身にも判らないやうな、或る精神的な深みから生ずるのである。諸種の氣分、態度、作業等が現はれるのは自然的な衝動の動き、抑壓されたる希望、乃至は沈澱せる體驗等の蠢動する暗き地下層からである。其れ故に精神生活は一平面を走るものとは見られない。それは幾つかの層をなし、各層はそれ〴〵特有の法則を有する。人間の中には精神的のもの丶外に、非精神的なるもの、反精神的なるものもある。充全なる人間は血と心と精神とからなる謎深き統一體である。

舊人間觀に於ては人間は神に似たるもの、理性的動物であり、人生の暗黑面については無知であつたが、新人間觀に於ては人間の中にある自然的なもの、動物的なもの、惡魔的なものを明かにし、舊人間觀の觀た人間は假構物であるとなした。

戰爭は新しく萬物の母として登場した。生命とは畢意危險に曝されてゐるといふことである。人間であるとは周圍より脅かされてゐること、戰爭に勝つか負けるかである。自由とは舊人間觀に於ては選擇の自由であつたが新人間觀に於ては、斯かる敵の重圍中にありて自らをよく處し得る鬪志を指すこと丶なつた。自由人とは鬪士である。

研究家と雖も同樣である。單なる物識りと混同されず、眞に科學史上に貢献を齎らすやうな研究家は闘士である。本能的に有爲なる軍人魂を持たないやうな學者は眞の有爲なる學者ではなく俊嚴なる科學の歴史は闘爭、屈服、再闘爭の歴史であると。

觀念論哲學では人間を純内面的なもの精神的なものと見て身體を度外視した。之に反し新人間觀に於ては精神と同樣に身體をも重視した。空間中に現はれ、空間を占據する人間にして初めて全き人間である。人間は身體・精神として全きものである。人間は人間一般として人間一般の中に生活するのではない。寧ろ全く一定關係内に生活するのである。實際上の人間は男であるか女であるか、若いか年寄りか、東洋人か西洋人かであると說き極めて具體性を持つやうになつた。從つて誕生といふものを持たなき人格性とか、乃至はフイヒテの有名な句、「自我は自我を定立する」なる句は實在性、偶然性、運命等に屬せざる抽象的なものとして排擊された。

人間といふ概念の中には一定の人種、一定の國民に屬するといふことが含まれてをり、從つて血と地との關係が、單なる意識的な關係以上に遙かに深い關係のものと見られ、新たに、(a) 吾人の祖先との關係、(b) 政治的領域との關係が强調されるやうになつた。

(a) 吾人の祖先との關係、人間の顏付は萬人必しも同一ではない。その差異の最も著しいものは人種の差異である。吾人の特殊性は人種的な遺産によつて素質づけられてゐる。凡ての本質的な身體的精神的特有性は凡てこの人種的遺産に迄遡及される。人種は精神の外殼であり、表現である。血と精神との間には神祕的な融合がある。
人間を特徴づけるものは、人格の價値、精神生活の型、その象徴の色調である。此等は互に結合して具體的人間を構成するのであるが、その中心點は經驗的所與の彼方にある。血は同一人種に屬するもの丶精神身體同型性の發する形而上的源泉である。理念も亦血と共に生れる。吾人の崇敬する所の神も吾人の精神と血の連關がなかつたならば存在しないであらう。

價値に對する態度も血から生ずる。價値體系は一定の方法に從ひ、血の周圍に秩序づけられ、人種の存在樣式を形ちづくる。北方人の價値體系では名譽が最高位を占め、忠實が之に次ぐと。血によつて特徴づけられた性格の差異をのべるならば北方人は冥想的ではない。北方人に取りては世界は諦視せられるものでなくして、働きかけるもの、行動によつて變化を與へるものである。北方人は仕事をなし、創造しなければならない。その本質は活動、奮闘である。北方人は運命を怨むのでなくして、喜んで迎へ、死を以て當るのである。北方人の生きてゐる限り、神話に現はれた英雄性といふものは失はれない。英雄とは人間性を最後迄充たすといふことである。

(b) 政治的領域との關係、人間は本質的には政治的者である。換言すれば人間は先づ第一に冥想し、價値を觀察し、次に行動するものではない。却て興味に驅られて行動するもの、その本來の存在形式は行動であると。

新人間觀が理性又は精神性の優越を認めず、祖先との血の連がり、政治的限界內に於ての具體的人間を問題とするに到る迄には、その前提として次のやうな立場を取るに到つたからである。(Alfred Baeumler: Nationalsozialismus und Idealismus. Internationale Zeitschrift für Erziehung. IX Jahrgang. Heft 1/2. S. 5. ff參照)

e　新人間觀の認識論前提

新人間觀を說く國民社會主義者の見方によると、觀念論と實證主義との分離、乃至はかゝる分離の起り來る根元である所の理想と現實の二世界觀にも全く關知しない。彼等の立場に取りては唯だ一つの實在あるのみ。生起する凡てのものはこの無限に深き實在の底から生ずるのである。價値を通じての淨化を必要とするやうな純粹の事實といふやうなものは存しない。理念も實在そのものから生ずるのである。理念とは實在が人間を通じて自ら生ぜしめる所の影像である。彼等には觀念論的―實證論的意味に於ての理念と實在との一致、質料と形式との對立といふやうなことは問題とはならないのである。多くの要素が集められて而して後に一箇の世界像が出來るのではなく、人間の存在と同時に根原的な世界直觀が存し、此の直觀に基いて人は世界像なり、行爲の指導像を作りうるのである。我々の住む現實在は無緣の他者の力を借りて初めてその形態や價値を獲得するやうな單なる素材ではなく、寧ろ凡ての形式の根據であり、標準である、凡ての現象は結局範をこの現實在に取るのである。國民社會主義的思想に於ても勿論理念の意味も知つてをり、理念なくしては敎育も乃至は生活も不可能なることをよく知つてゐる。けれどもこの理念たるや上から降りて來て素材を淨化し、死屍に精神を吹込むといふやうなものでなくして、實在其物から生ずるものと固く信じてゐる。從つて縱令個々の人間の具體的な立場が少年時代から受けた影像乃至理念に依存しようとも、乃至は外國の文化に依存すること多大であらうとも、影像乃至理念を作り、それを取上げ、又それを評價するの力は常に前述の人間の根原的な態度からのみ得て來るのであると見るのである。

單に個人に於て然るのみならず、社會に於ても同樣である。民族の眞の生きた社會は精神を持つた社會であり、社會は社會自らが生み出した指導者の意志によつてのみ歷史的な力を得、而してかゝる指導者のみがその社會の遵守すべき具體的な指導理念を提示しうると見るのである。

右に略說した新人間觀の認識論的前提はイェンシュが其著敎育學の新方法と兒童學（副表題、敎育學の哲學的基礎）に於て提唱した、近き理想主義（Idealismus der Nähe）を發展したものと見るべく、嘗て自分が哲學的敎育學と經驗的敎育學の止揚點についてと題してなした拙稿（哲學研究、昭和六年二月號）に於て提唱した「今」と全くその揆を一にせるものと云ひうるであらう。

之を要するにナチス獨逸に於て說く新人間觀が吾人に敎ゆる主要なる點は

(a)　人間には精神的のもの〻外に非精神的のもの、反精神的のもの、惡魔的要素のあること、從つて人間は常に危險に曝されてゐること、敵の重圍中にあること。

(b)　人間を具體的に見ることから、祖先との關係竝に政治的關係を重視するに到つたこと。

(c)　理想と現實、理念と實在との二世界觀を排し、現實在を唯一の根據となし、現實在こそ凡ての形式の根據であり、標準であり、凡ての現象は結局範をこの現實在に取ると見たこと。

の三點に歸するやうであり、(a)　に關しては、先きに、性善說、性惡說を論駁し、性の善惡以前の活力を提唱したことによつて自分の立場は論證し盡されてゐると信ずるからこ〻に再說することを避ける。(b)　に關しては次に說く「國家の再認識」に重要なる論據を提供してくれることを謝すべく、(c)　に關しても「歷史的主體の創造性」に對して論理的根據を與へてくれることを謝すべきであらう。

は、國家の再認識

國家の本質竝に國家と敎育との關係については機を改めて論ずる豫定であるから、此處では單に世界史觀の再認識に必要なる程度に於て述べよう。

人間は一定の空間と一定の時間を占據することによつて始めて具體的人間として有機的生活を

なし、從つて又文化人としても生活しうるのである。この一定の空間と一定の時間を占據することは單なる個人を以てしては不可能であり、必ずや一定の國家に屬することによつて始めてなしうる。しからざれば亡國の民の如く放浪の生活をなさなければならない。國家は啻に個人の生命の母胎たる根原性を有するに止まらず、世界文化の母胎たる根原性を有するものである。國家は契約によつて成つたものでなく、又個人と世界人類との中間に存在する社會でもなく、又個人や世界人類と同位的存在でもなく、寧ろ各個人や世界人類が據つて以て立つ基體たり、母體たるものであることを確認しなければならない。加ふるに自由の概念は轉化して、男性的闘爭的本能が他の本能を支配することを意味し、自由人とは闘士であると呼ばれ、戰爭が歷史構成の新要素として、萬物の母として登場せる現代に於ては、動物と區別あらしめる人間の精神生活を可能ならしむる最後の堅壘は國家の外に求むべくもないことは益々明瞭となつた。（詳細については拙著、敎授方法學、一二六頁以下參照）

次に現實の國家は互に獨立して居り、その關係は單なる外部的のものである。其故に此等の國と國との間に爭が起つた時にはそれを調停する爲の第三者が必要である、かゝる第三者として國際裁判所、國際聯盟の如きものあるも、此等は常に相對的であり、限定されてゐる。常に妥當する唯一絕對の裁判官は凡ゆる意味に於て强力なる、世界的勢力を有する國家である。ヘーゲル流に云へば一般として、又歴史世界に於ては類として現はれる國家である。かゝる國家こそ現實に世界史の進行を支配するものである。かるが故に世界史的歴史の流に棹す爲には、一般として又類としての國家形成の爲に努力する所なければならない。

以上述べたことによつて世界史を動かすものが何であるかゞ判明した。けれどもまだこれだけでは東亞新秩序構成の論據は明かでない。これを明かにするものこそ次に説く問題である。

二、大東亞新秩序の原理の演繹（新東亞建設民族共通の文化内容）

新東亞建設を共通使命とする民族間にありては假令把握の仕方、表現の形式の差異は事實として存在するとしても、その成立の根據に於て、又その歴史發展の方向に於て一元的普遍性を有すべきである。この一元的普遍性の把握こそ東亞新秩序建設の條件となり、可能原理となるのである。斯かるものが何であるかについては最初に歴史哲學者の教に倣ひ、

歴史の基體となるものと、歴史の主體となるものとの二方面を考察すべきであらう。前者は血と地であり、後者は永遠の今として常に歴史の中核となり行くものである。前者は運命的形而上的信仰と迄高まることにより、後者は西洋とは異つた東洋特有のものとして、東亞新秩序の指導精神に迄高まるとき、此處に東亞新秩序の體系を期待しうるであらう。この二點につき更に詳説し

よう。

い、歴史的基體（運命的形而上的信仰）

民族には形而上的信仰の必要なることにつき、シュプランガーは「現代日本及獨逸に於ける文化問題」と題する講演中に於て曰く、

この世界に於て、民族と國家とは彼等の力が形而上的源泉から生れてゐる事を確信し、又單に時間的なるものに基礎を置くのではなく、永遠なるものに根柢を持つてゐるのであると確信する事によつてのみ、強く尊き力を克ち得るのである。此の「永遠なるもの」の聲は、國家と民族に道を示し、國家と民族との道を「正しき方向」にと導いて行く、絕對的なるものが無視せられ、神の聲が聞えぬ處では、民族の力は（道德的世界に對し何等の働きをも爲し得ぬ　單なる自然力の段階に落ち込んで了ふのであると。

我々金色十億の人間は東半球亞細亞の地に生活すべく有史以前より運命づけられてゐる。これは理窟でなくして事實に基く運命的信仰である。我々は何故に西歐の地、乃至は西半球の地に生れずして、東亞の地に住むやうになつたのかは知る由もないが、吾々の祖先が數千年來この土地に住み、吾々も亦その後繼者としてこの地に住むべく運命づけられたことは、吾人の肆意を以て變更することを許されざる、吾人はたゞ從順に從ふ外に方法なき運命的事實である。この運命的事實こそは吾人東亞十億金色人の天職を規定すべき基體的條件である。

たゞに土地ばかりでなく血統に於ても、我々が黑色又は褐色の、或は白皙の人種中に生れない

で、金色の人種中に生を受けたことは、吾人の肆意を以て如何ともすることの出來ない、たゞ從順に從ひ、こゝに安住の道を見出すの外、道なき運命的事實である。

前述の運命といふ事柄につき希臘語の研究によると興味ある解釋がある。（禪學研究三三號、長澤信壽、自然と運命、參照）

運命とは希臘語では Moira と云ふ。モイラの本來の意味は部分であつて、分たれたる部分、各自が有する部分である。各人の分たれたる部分が各人の運命である。しからば何を分配されたかと云へばそれは自然である。各人の持つ自然の部分が運命である。希臘人は人間の内にあるものを Phusis（自然）と呼ばないでモライと呼び、同一物が對象的に我の外にあると見られた時、自然と呼んだのであると。

かゝる考へ方に從つて東亞に於て、東亞新秩序建設に際し、日本人と漢人種との間に分たれたる部分、分前は何であると見るべきか。この事を考察するに當つて注意すべき左記の事項がある。

極東に位する日本として永遠に看過することを許されざる主要問題は支那事變處理である。そのためにこそ對英米戰爭も必要となつたのである。對英米戰爭に引きずられて支那事變を忘却するが如きは本末顛倒たるを免れぬ。仍て自分はこの問題に一應觸れようと思ふ。

(a) 東洋文化中心の移動

內藤湖南博士によれば江蘇、浙江地方は支那の上古では純粹の支那人からは全く夷狄と見られた土地で、況んや廣東などは極く近い時代迄も殆ど外國人扱を受けてゐた土地である。然るに文化の中心の移動からして今日では江蘇、浙江地方が全盛になり、更に廣東が全盛になつてもそれに疑問を挾む支那人もなくなつた位である。……若し何等かの事情で日本が支那と政治上一つの國家を形成してゐたならば、日本に文化の中心が移つて、日本人が支那の政治上社會上に活躍しても、支那人は格別不思議な現象としては見ない筈なのであると。

(b) 支那人の政治觀

内藤湖南博士は曰く彼等は政治を國家維持の機關だとか、人民を統治する方法であるとかは考へてをらぬ。政治は政客の競技と考へてをる。それでその成績の善惡は問はないで、その競技が如何にうまく行はれたかといふ事が非常な興味を引いてゐると。（内藤湖南、支那論二四九頁）

矢野仁一博士によれば支那の大多數の人民は政治は善いから之に依頼するとか、惡いから離れるといふのではなく、政治といふものを無用のものと考へてゐるやうである。彼等は政治によつて自分達の利益を保護して貰はうといふ考へがないから、政治は必要でない。租稅を取られるだけ却て惡いやうに考へ、成るべく之を逃避しようといふ心持になつてゐるやうである。若し政治が無いやうになれば匪盜棍徒の爲に損害を被り、刼掠の禍に罹らなければならないやうにも考へられるが、彼等には、それは政治の害と餘り變りがないやうに考へてをるのである。彼等は政府の課稅といふことゝ匪盜の刼掠といふことゝを同樣に考へ、政治があるが爲にこれに對して租稅を納むるは七匪群盜あるが爲に之に對して貢納金或は贖身金を拂ふことゝ格別違ひがないやうに考へてゐるのである。（矢野仁一著、現代支那論―動かざる支那三頁―五頁參照）

政治に對して自分達の保護を望まなくなると政治はたゞ租稅を取り、生命財産の安全を脅かす外、何の効能もないものとなる。矢野氏によれば蒙古や五胡が容易に支那を征服することが出來たのは既に支那の人民は政治などは誰に任せても構はない、蒙古人だらうが五胡だらうが差支へがないといふ考へになつてゐたからであると考へると。（同上、二九頁參照）

官と賊と變らぬ例。南宋時代に官の招撫を受けて歸順して官吏となつた福建の海賊鄭廣はその前身が海賊であつた爲に同僚の人が蹺んで交際しない。そこで鄕度有詩上衆官、文武看來總一般、衆官傚官却傚賊、鄕廣傚賊却傚官と。

(c) 民族年齡に於ける政治の地位

内藤博士によると日本が今、政治軍事に於て全盛を極めてゐるのは國民の年齡としては尙幼稚な時代にあるからである。支那の如く長い民族生活を送り、長い文化を持つた國は、軍事政治には興味を失つて、藝術に益々傾くのが當然である。近代政治上に活動するものは大方今迄餘り文化の普及しなかつた極く初心な人民に、初めて文化が及んだ土地から出たものが多い。卽ち曾國藩時代の湖南人、今日の廣東人がそれであつて、彼等は支那の文化階級としては最も幼稚な、最も低級な趣味を持つてゐる地方人である。右の如き論理から來る所の結論は、日本によつて經濟組織の變化を刺戟されても、支那はそれによつて根本から若返つて、今一度政治中心の生活に入るといふやうなことはあるべからざるものであるといふことを知りうることである。その點に於て日本が支那の多數の人口を統率しても世界の脅威となるなどといふ心配を歐米人はする必要はないのであると。（同上、三〇二――四頁參照）

卽ち民族年齡から言つても支那人は政治に興味が薄いのである。

以上三項に亙りて述べたことを要約するならば、東洋文化の中心が日本になつたと見ても漢人種には別段の不思議ある筈なく、支那人の政治觀から見れば、日本人が支配的地位に立つも一般大衆には無關心の筈であり、民族の年齡といふ見方から見れば、若き日本民族は老大漢民族に代行して然るべきである。

なほ日本が經濟其他に於て積極的に支那に進出することが支那民族の爲であるといふ說があ

(d) 外種族の侵略と恩恵

内藤博士によると、五胡十六國のやうな新らしい、若々しい民族の混入によつて支那の生命を又若返らして唐時代の如き非常に華かな文化を復活したのである。その後も遼、金、元の如き北方民族に壓迫され、全く亡國の憂き目を見たやうに言はれるけれども、その間に支那は民族生活の樣式を一變して國民政治の生活から世界的文化生活に移つて行つたので、その原因は全く北方民族が一時支那國家を滅ぼした所の大刺戟によるのである。日本の經濟的運動は支那民族の將來の生命を延ばす爲には實に莫大な効果あるものと見なければならぬ。この運動を阻止するならば支那民族は自ら衰死を需めるものであると。（同上二七二―四頁）

(e) 支那人の處生觀――安分的傾向

支那人が政治に頼らないとすれば何に頼るのであらうか、彼等の處生觀は如何か。

彼等の信奉する教について北京大學祕書長錢稻孫は云ふ。支那人は事なき時は孔孟の教により、事あり對立的になると老莊の教によるやうになると。

滿鐵總裁室囑託、岡本理治氏は曰く、支那人は從來法三章で治められし民族である。それを細かしき法律で治めるのは無理である。又支那民族は分析的推理をなす民族でなくして頓悟で知る民族である。又支那に渡つた佛教は諸宗派あるがその中今尚支那民心を支配してゐるものは禪宗であり、禪宗の說く「隨處爲主」なる句が、支那民族生活の格率となつてゐる。支那民族は實に獨立獨行の國民である。（筆者云ふ。この斷定は支那民族が世界の各地に於て何等母國の保護を仰ぐことなくしてよく自營し、支那街を建設せることを目擊するとき、その斷定の僞に非らざることを覺えしめる。）

禪宗にて云ふ隨處に主と爲るとの說は、易の說と一致する。易にては一卦は六個の爻よりなり、一卦にて全體を表はし、各爻はそれ〴〵個人の地位を示し、而してその地位にて善處することを說くのである。例へば乾☰☰に於て、乾《ハ》元《ニ》亨《ル》利《シ》貞《ニ》。初九、潜龍、勿用、九五、飛龍在天、利見大人、上九、亢龍有《リ》悔と。支那民族は前記禪の句と、易の說とをよく體得した民族であると。

ろ　歷史的主體

前項に述べた運命的形而上的信仰は東亞歷史の動く基體となるものである。基體に對しては主體となるものがなければならない。歷史の主體として、永遠の今として常に歷史の中核となるものがなければならない。大東亞新秩序の建設に當つてはその中樞となるものがなければならない。中樞なくして秩序の建設は不可能である。かゝる中樞、中心となるものは二種ある。一は最高指導價値であり、他はかゝる價値の實現に當りて指導的役割を演ずる人である。更に具體的に云へば、凡そ一國が起るにはその國家を治めて行く所の國是が無くてはならない。施政方針の基礎となるものがなくてはならない。かゝる國是なり施政方針の基礎となるもの、これが最高指導價値である。かゝる最高指導價値は同時に世界史の終局目的とも云はれるものであるから、この問題については項を改めて論ずるであらう。

次にかゝる價値を實現するものは、物とか制度とかではなくして人でなくてはならない。蓋し物とか制度とかは死物であつて、人を待たずしては如何に善くともそれは畫餠にすぎないからである。しかもその人たるや單なる凡人であつては中心たるの資格はない。凡人でなくして非凡な人、歴史哲學ではかゝる歴史的主體となるものを英雄と呼んでゐる。

英雄は民衆の指導者である。民衆自らは何を爲すべきかを知らない、如何に自らを處すべきかを知らない。民衆に自覺を與へ、民衆をして自己限定的、自己形成的ならしむるものこそ英雄である。英雄は單なる個人としてではなく、民族の意志の代表者たる所に英雄の偉大さはあるのである。（高坂正顯著、歴史的世界二九三頁以下參照）

自分は先きに世界史の進行を支配するものは一神教徒の信ずる如き神でもなく、又理性信仰者の信ずる如き理性でもなく、寧ろ人間による。但し單なる個人でなく、世界的勢力を持つ民族的國家によることを述べたのであつた。今此處で論じつゝある英雄こそは民族の意志の代表者であり、指導者たる點に於て、それは正しく世界史の推進者と呼ばれうるものである。

前述の如き英雄は他の民族、他の國家に於ては常に臣下に、又は臣下より昇れる皇帝にあつたのであるが、我國に於ては神武天皇の昔より聖天子は常に英雄であらせられたのである。歴史的主體が萬古不易であり、同時に英雄であらせられる點に於て我國の國體は實に世界無比と云はなければならない。

臨時政府教科書編審會顧問として永らく北京に駐在されし熊木捨治氏の談に先般北支臨時政府治下の師範學校長數名が日本視察をなし、歸朝後教育部長湯爾和氏に報告して曰く日本には皇室といふ中心があるから小國と雖も勝つたのである。支那にはそれがない爲に負けたのである。誠に殘念であると。聲涙共に下る劇的場面を展開したとのことである。

世界史の推進者は單に過去の傳統を受繼ぐものではなくして、一瞬々々に世界史を創造し、世界史の進行を支配して行くものである。後村上天皇の爲めの帝王の學として世に知られてゐる神皇正統記に於て、著者北畠親房が我國が時恰も佛敎で說く末法の世に當り、慈鎭等の說く限定百王說に從へば帝位は既に九十六代目に當り、加ふるに皇室に於かせられては御神鏡については天德、長久兩度の阨あり、御神劍は壽永の役に西海に沈む等の不吉が續き、尊氏等の賊徒の勢力猖獗を極めるとき「代下れりとて自賤むべからず。天地の初は今日を初とする理あり、如之君も臣も神を去る事遠からず」（神皇正統記、卷二、應神天皇の記事の末尾）と喝破してゐることは我々日本人としては特に味ふべき意味深遠なる句でなからうか。蓋し歷史に於ての現在が過去の終末であり、結果を意味するとしたならば、現在は同時に未來に對しては初を意味しなければならない。何故ならば歷史に於ての一瞬々々は單なる繼續でなくして飛躍であり、創造であるからである。天地の初は今日であり、神は我の近くにあるとの確信ありてこそ、時代の難關を克服し、新天地を創造しうるのである。而してかゝる立場の認識論的根據を與ふるものこそ前述の新實在論である。

神が我の近くにあることについてはエックハルトも同樣の見方であつた。「神は現在の神である」と。（ローゼンベルグ、前掲の書一八七頁）

大東亞新秩序の中樞が日本であるべき論理的根據については後に論ずる。「天地の初は今日を初とする」との親房卿の言こそは大東亞新秩序建設の大任を負荷されたる大和民族の膽に深く銘すべき格率ではなからうか。

は　大東亞新秩序構成の國防的條件

東亞共榮圏成立の必要を說く人の多くは經濟の立場から、物資の自給自足の點から說いてゐるやうである。けれども經濟の立場からのみでは、說き終せなきのみならず却て破綻をすら來たす。例へば大同炭鑛にては百二十億噸の埋藏量あり、之を運ぶ特別の鐵道が敷設されたとしても、日本迄の運搬の費用は專門家の話によれば大同からするのと南米キューバ附近からするのと大差ないとの事である。蓋し船による輸送費用は汽車によるそれの二十分の一にて足りるからである。經濟上物資の自給自足も元より理由の一つであるが、最重要のものとは云へない。ヒットラーは獨墺兩國の結合の理由について曰く、それは何等かの意味の經濟的考慮からではない、經濟上のことは無關係である。否縱令經濟上に有害であらうとも兩國は合一しなければならないと。（Adolf Hitler : Mein Kampf S. 1.)。而してヒットラーの合同の理由は「同じ血は同一共通の國家に屬する」といふことであつた。獨墺兩國の場合に於ては此の見方は最も根本のものであつたであらう。けれども東亞共榮圏確立の場合に於ては單に血の共通、乃至似通ふと云つただけでは未だ時代の特徴を十分に云ひ現はしたものとは云へない。然らば自分のいふ時代の特徴とは何か。それは武器としての飛行機の發達といふことである。

西洋史家の說く所によれば、十五世紀の半ばに於ける大砲の發明によりて、これ迄隨所に割據せし城主の獨立は漸次に壞され、此に代るに此等小城主を包括せる君主的國家制度の思想起つたと。この論理は直ちに二十世紀に於ける飛行機の使用の國際關係に及ぼす影響にも類推しえないであらうか。武器としての現代の飛行機の使用は大砲の射擊距離を遙かに突破して數百千粁の遠方迄も爆破しうることゝなつた。云はゞ此迄は數千米しか屆かなかつた砲彈が、數百千粁の彼方へ、而も重量二百五十瓩の砲彈をも放ちうることゝなつたのである。

射程距離數米の弓矢の時代には數哩を距てる每に一城主が割據しえたのであるが砲術が發達して射程距離が數哩に延長してから小城主は合同して一大領域を統括する君主國乃至聯邦國を構成せざるを得なかつた。要は國民の中樞部の住居する都市の位置が國境からの大砲の射程距離よりも遙かに隔たりたる地にあることを國防上絕對必要とするに到つたからである。現今飛行機はその基地から一擧にして數千粁の地を爆擊することを得るに到つた。攻擊機は今や射程距離數千粁に及ぶ大砲と化した。米蔣基地の最前線麗水から臺灣の南端迄は約七百粁にて、重慶軍爆撃機の行動圏内にあり、また名古屋は約一千六百粁でボーイングＢ十七型爆撃機の航續半經内にあるとされてゐた。（昭和十七年四月二十七日、朝日新聞西部による。）從つて國民が敵の飛行機による攻撃圏外に安住の地を得んと欲したならば、敵の飛行基地を隔たる數千粁の地を選ばなければならない。然らざれば地下深く住む鼴鼠の生活をしなければならない。國民の凡てがかゝる安住の地帶を求める必要なくとも少なくとも、國民生活の中樞部、樞要機關は敵機の攻撃圏外の安全地帶を必要とする。かくする爲には各民族は小區域内に割據することを止めて廣袤數千粁に跨がる大共榮圏を構成しなければならない。このことは極めて平凡のことであるが後世史家が樞軸國對ＡＢＣＤの戰爭を說く際、必ずや強調する一點であ　と信ずる。

に　民族協和

強力國家が共榮圏域内諸民族を征服併呑するといふのでは大東亞共榮圏と稱するに値しないし、又かゝる廣域圏を武力のみに依つて征服併呑し、それを保持することは殆ど不可能である。各國家各民族の獨自性は原則として尊重せられなければならぬ。中樞民族指導の下に「各をしてその所を得しめ」つゝ而も共同の運命と使命との自覺によつて内面的に結合し、自發的に協同する關係でなければならない。諸家の說、乃至は歷史上の事例を引用しつゝ更に詳細に述べよう。

a　二十世紀の建築と多數民族國家

滿洲經濟研究公社長、滿洲經濟義學長、岡本理治氏が滿鐵改組問題の回想竝に同問題に含まる哲理と題する小冊子に於て滿洲國の特徵を興味ある比論を用ひて說かれてゐる。曰く、十九世紀の末期迄は家屋を建築するのに一區劃の地所に一階建の平家を建築し、それに一家族が住居するのを建築上の通念とした。然るに二十世紀の今日に於ては一區劃の地所に一アパートを建てそれに數家族が住むやうになつた。紐育の摩天樓に至つては一區劃の地所の上に二十階乃至は五十階以上の樓屋を築造し、それに數百ビジネス數百家族が住居することゝなつた。これは二十世紀の土地使用につきパレスタインの二國民國家と同樣なる新觀念を示すものである。昔は聯邦と謂へば領域と領域を隣接せしめる橫の聯合であつたが、今日は民族社會層を縱に聯ねる縱の聯邦が出現したのである。パレスタインの二國民國家は正にこの觀念を明徵にせるものであり、滿洲國は日本民族、漢民族、滿洲民族、蒙古民族、朝鮮民族、白系ロシヤ民族なる六民族の社會層により、アパートの如く、摩天樓の如く、縱の聯邦として打立てられたる國家である。

滿洲に於て世界に類例なき特異なる制度とされてゐるものは滿洲國參議府である。これは日・漢・滿・蒙等の民族を代表する參議によつて組成されてをり、日本人參議は元より滿洲國籍に入つてゐないが此等國籍外の參議に滿洲國の最高政策を裁定する權能を有することは世界の前例を超越せる制度であると。（前記書六――七頁參照）誠に巧妙なる比喩を以て滿洲國の構成組織をよく穿つたものと感心させられる。この比喩說明は同時に東亞新秩序建設にも當箝るものでなからうか。

b　諸族協和に關する獨逸竝に支那に於ける先例

東亞諸民族は皮膚毛髮の色こそ共通であれ、日常の言語、風俗、信仰、習慣等に於て可なりの差がある。此等の差あるものが如何樣にして協和しうるか。この點に關し獨逸に於ての宗敎上の寬容に關する先例を一瞥することも無益ではあるまい。シュプランガーによると獨逸ブランデンブルグに於ては一六一三年に國王ヨハン・ジーギスムンドが改革派に改宗して以來、信仰と國家原理との一致を放棄しなければならなかつた。卽ち國王の改宗によつて、國王はルーテル派に屬する大多數の臣下と信仰を異にするに至つたのである。從つて宗敎的寬容を國家の主義、政策となす必要に迫られて來たのであるが、しかしこのことあるに因て、却て幸福なことにはブランデンブルグ－プロイセンが强國となる道が拓けたのであつた。宗敎的寬容に關する訓令がその時政治敎育上最も重要なるものとなつたのである。十七世紀中葉以來、政治的、宗敎的方面の優れた頭腦の持主は、合同（union）卽ち信仰、宗派を異にする人々の結合を再び齎らさんと努力した。その時以來「合同」といふことが其の時代の最も重要な政治的目標となつたのである。……

……この新しい敎育原理の內には「世界観上の個人的相違分裂を國家といふ共通の大屋根の下に

一つに抱擁する」といふ大きな思想が盛られてゐる。（シュプランガー著、小塚新一郎譯、現代文化と國民教育、四六―七頁）

「彼の領地には彼の宗教を」（Cuius regio, eius religio）といふことを政治上の格率とし一國内に於ての世界觀的統一を政治上の重要事項としてゐた獨逸國に於て、信仰、宗派の相異を其儘にして結合を計つたことは大英斷であつたに相違ない。この大英斷あつたればこそプロイセンが強大となつたのであらう。大東亞新秩序を構成する爲には各民族間の信仰、思想、習慣等の多少の相違については寛容的態度を取るべきであらう。

啻に思想信仰上の問題のみならず經濟上の問題に關しても同樣のことを云ひうるであらう。經濟上の問題に關して支那歷史に面白い例がある。内藤湖南博士の支那論によると、元の世祖成吉思汗は支那の土地は取つても漢人は國に益がない、厄介なものである。漢人は穀物などを作つたり何かして、土地を荒してうるさいものである。こんなものは皆打殺してしまつて其の土地を野原にして、蒙古人が其處を牧場にしてしまうが宜いといふ考へを眞面目に有つて居つた。所が金人で成吉思汗の參謀であつた耶律楚材が成吉思汗に說いて、漢人もさう役に立たぬものではない。それには役に立つ證據を見せて上げようといふので、成吉思汗から漢人の土地を任せて貰ひ一年間に銀五十萬兩、絹八萬匹、粟四十萬石といふ租税を上げて見せた。租税が上つて利益があるといふことが分つて見ると成程漢人といふものも蒙古人の爲に役に立つものであるといふことが分つたので、それで支那の平野を牧場にするといふことも成立たなかつた。

併し兎に角その時からして已に蒙古人は蒙古人のやり方を以て、それで宜い、支那人は支那人のやり方でやつて行くべきものであるといふ考へがあつた。即ち漢人は漢人の法に從ひ、色目人は色目人の方に從ふ。各々其特色を保持させたまゝにそれを統轄するといふ方法を取つたとのことである。

凡そ異種族を基礎にして大なる領域を統合する爲には（イ）或る文明國を基礎にして他のものをそれに同化させるか（ロ）各種族の文明を獨立させて、それを統一するかの二途を出でないのであるが、凡そ大をなす爲には後者の途によるべきことは、プロイセンの例により又元の例によつて明白なることゝ信ずる。ローゼンベルグも今日の世界革命の本質は人種的類型の覺醒にあることを強調してゐる（同氏前掲の著、三八三頁參照）滿洲國に於て民族共和の理念に關し、左記の如くに述べてゐることは前述の立場を取つたものと見るべく、東亞新秩序内に於ける民族協和も同一理念によつて行はるべきでなからうか。

c　滿洲國に於ける民族協和の理念竝に日華共同聲名

民族問題に關する滿洲建國の理想は當然に排他的民族主義を拒否し、民族的利己主義を否定し、民族的優越若くは政治的經濟的勢力に基く覇道的支配を容認せず、國內各民族は一視同仁、平等にして何等差別なく有るがまゝの姿に於て凡有る相剋の因子を揚棄し、各民族相倚り相扶けて理想的複合民族國家を建設することにある。

これを各民族の立場から云へば、國內各民族はその傳統、理想、習俗、感情を超越してその上に世界に新しき道義國家建設の大理想を中心として結合し、この理想達成の爲には自己の物質的利害關係、民族的恣意を抑へて國家目的に從屬することである。………血は水よりも濃いと云ふが、理想の一致は血の差別を超越して各民族を強く結合せしめる。（民族協和の滿洲國、二二―二三頁）

日華共同聲明は昭和十六年六月二十三日午後六時半、近衞首相竝に汪行政院長の名を以て次の如くに發表された。

共同聲明

われら兩名は今次の事變を速かに處理しこれを契機として日華兩國永遠關係を確立し以て共存共榮、東亞復興の共同目標に向つて邁進せんがためさきに善隣友好、共同防共、經濟提携を內容とする東亞新秩序の建設に關しそれぞれ聲明するところありたるが客年十一月三十日成立の日華基本條約および日滿華共同宣言の主旨とするところまた右にほかならず、そもそも東亞新秩序建設の意義は東亞固有の道義的精神を基調として東亞に於ける侵略主義および共產主義の流毒を一掃し相互提携、共存共榮の國家を建設せんとするに在り、中國民衆中には日華の合作による東亞の復興を希望しつゝも右希望が果して實現せらるゝや否やに關しなほ自信を有せず、依然として低徊觀望の態度を持しをる者尠からず存するがごときところ、東亞復興の偉大なる事業は今日の段階においても出來得る限りその曙光を顯現せしめ大多數國民の信頼を得て鋭意全面和平の實現に邁進することによりはじめてこれを達成し得べきなり。

今回われら會談の結果日華兩國政府は右共同の目標に向つて一層の努力をなすべきことを誓ひたり、國民政府は政治上、軍事上、經濟上、文化上、日華提携協力の具體的事實を提供し民衆をして日華合作、東亞復興が日華兩國民の共同の使命なることを知らしむるに努むべく、日本國政府またこれに對して一層の援助を與へ國民政府をして能く獨立自由の權能を發揮せしめ、もつて東亞新秩序建設の責任を分擔せしむるに努力せんとす。

昭和十六年六月二十三日

近衞文麿

汪兆銘

d 先進民族としての日本人の覺悟

(a) 日本が東亞の指導者となるべき論理的根據

ヘーゲルは道徳の標準は國内に於けると國外に於けるとでは全く異ることを述べて曰く、正と不正、罪と無罪、幸不幸等は一國内に於ては假令不完全であつても、その判定の正當性は存するのであるが、世界史になると全く異る。卽ち世界史に於ては現在の支配的段階を占めてゐる所の世界精神の理念の必然的な契機こそ、その絶對的な權利を有し、且その内に生活する國民並にその行爲こそは、世界精神の理念の完成、幸福、榮譽を有するものであると。(Hegel: Philosophie des Rechts 參照) ニーチェも云く、價値の客觀性は何に基いて計量するか。只高上し、體系

化せる力の量に基く。（權力意志第四三八節）

力量のみが階級を決定する。爾餘のものは駄目である。（同上、五五〇節）

汝が有する所の力量のみが地位を決定する。爾餘のものは空虚である。（同上、五五一節）

・世界史の立場から見れば事の善惡に係らず、支配的なる民族こそ絶對的な權利（權利は同時に正義である）を保有し、その民族の爲すことが萬人の向ふべき規準を示すことゝなるのである。この意味に於て日本は東亞の指導者たるの論理的根據を有するのである。

ヘーゲルは更に曰く、世界史の現在の發展段階の運載者であるといふ彼の絶對的な權利に對しては他の國民の精神は無權利である。他の國民はその時代は既に過ぎ去つてゐるが故に最早世界史の中には入らないと。（同上、§ 347 參照）此處にいふ「他の國民」なる語を支那民族なる語に置換へたならば、日支の文化史上に於ける關係は或る程度當篏るかの如くに思へる。即ち日本は現在東亞史の運載者であるといふ地位こそ東亞の指導者たるべき絶對的權利を附與するのであらう。東亞諸民族の存續も發展も日本民族との協同を措いて有り得ないとするとき、此處に日本人の自覺と垂範がなくてはならない。

主として新入滿者の爲に執筆された「民族協和の滿洲國」の口繪に大書して

日系在滿者ハ民族協和ノ中核タルモノニシテ能ク既存諸民族ノ先達トナリ謙仰懇和、兄タルノ親愛ヲ以テ自ラ範ヲ垂レ其傳統的ニ體得セル八紘一宇ノ大精神ヲ具現シ以テ皇道宣布ノ重責ヲ果スヘキモノナリ。

と。日本人が民族協和の中核たるべきことは單に滿洲帝國協和會に於てのみならず、廣く東亞共榮圈內に於ても然かあるべきであらう。

(b) 支那事變と賠償要求

凡そ事變のあつた後、戰勝國は戰敗國を併呑するか乃至は賠償を要求することが通則とされてゐる。事變の爲に血を流した幾萬の精靈並にその遺族の慰安の爲に、乃至は戰費幾百億圓を償ふ爲に賠償の要求せらるゝことは當然の事のやうにも思はれる。しかし當路者によつて屢々說明されし如く、支那事變は物質的要求乃至は領土的野心にあるのでなく、白人の壓迫搾取より東亞十億の民族を解放するにあるのである。日淸、日露兩戰爭も同樣であつたが、此度の事變は特にこの點が強調されてゐるのである。蔣介石を使嗾せる反樞軸國に對してならば賠償要求は正當であらう。けれども支那民族に對しては別である。東亞新秩序建設の爲には見方を改めなければならない。歷史家は教へる。歐洲大戰前ドイツがオーストリヤを攻略して凱歌を奏した時、當時ドイツの智將ビスマルクがドイツの眞の發展を望むため、敗戰國オーストリヤに對して苛酷な賠償要求をなさず、オーストリヤと手を握つて協調し、オーストリヤをドイツの中に包含した結果、遂にオーストリヤはドイツのものになり、歐洲大戰には「ドイツ」プラス「オーストリヤ」となつたのである。これ以外にも大獨逸帝國を建設する場合、皆この方法をとつた事がドイツが短期間にあのやうな强國になつた最大原因であると。（滿洲國通信社出版部、聖戰と在滿日本人の覺悟、五—六頁）東亞新秩序の指導者として、先進民族を以て自任するものは他の民族に對して、豫言者、救世主の襟度がなくてはならない。

三、世界歷史の終局目的

自分は先きに歷史的主體を述べる際に、大東亞新秩序建設の中樞をなすものは、一種あり、その一は最高指導價値であり、これは同時に世界史の終局目的と呼ばれるものなること竝にその問題は項を改めて論ずると約したのであつた。今その約を果さう。

い、我國の最高價値、忠君愛國と沒我思想

最高價値とは他の一切の生活命令の中心となるものである。ローゼンベルグによると獨逸人の最高價値は國民的名譽であると。この名譽の念が獨逸人の全思惟、全行爲の初めとなり、終りとなる。この名譽の念は種類の如何を問はず、それと同價値の力の中心が他にあることを許容しない。基督敎的愛であらうと、祕密共濟組合的な人道であらうと、羅馬の哲學であらうと許容しない。（ローゼンベルグ前揭の書、四〇九頁參照）

國家、文化を形成する動機としてローゼンベルグの第一に擧げるものは名譽の觀念、並にそれと內面的に結合せる義務の觀念である。（同上一〇九頁）

ローゼンベルグによれば死を恐れざることも名譽心に根ざす。戰爭に打負されたる男子が妻を殺し、自害をするといふことは決して稀有なる現象ではない。「自由に死することがお前の力にある限り決して捕はれの身となるな」とオイリピデスも敎へてゐると。（同上一一三頁）

獨逸人に取つての名譽の概念に相當する、東亞諸民族に取つての最高價値は何であらうか。

大和民族に取つての最高價値が忠君愛國にあることは萬人周知の通りである。この忠君愛國なる語は同義語、盡忠報國、皇運扶翼等と共に帝國臣民の遵守すべき最高規範であり、この規範に對する臣民の道は、滅私奉公、億兆一心、絕對歸一等の語によつて表示されてゐる。大國隆正が著書「倭魂」に於て、やまとごゝろとは第一には大臣になれる人が天皇の大御位に心をかけず、いづく迄も臣下の分を守りてつかへ奉ること例へば豐臣秀吉の如きを云つた言葉であり、第二には各自がその仕へ奉る君に誠を盡すことを言つた言葉である。例へば赤染衞門が「さもあらばあれ、やまとごゝろしかしこくば、ほそちにつけて、あらすばかりぞ」と歌つた場合のやまとごゝろは主人に對する誠心を意味すると述べ且つ本居宣長の大和心の歌を排して古人の歌、

しきしまの大和心を人問はゞ

わが君の爲身をばおもはじ

を提唱し、且つこれに和して、

しきしまのやまと心を人とはゞ

とつくに人のきもをひしがん

と歌つてゐることは吾人の特に注意すべき見方でなからうか。

臣民の道である滅私奉公、絶對歸一、億兆一心は更に換言すれば同時に沒我思想の涵養であつた。この沒我思想は西洋の個人主義とは對蹠的な關係にあり、民免れて恥なしといふ法治主義とは正反對の德治主義となり、民權主義の正反對となる。

西洋の共產主義にしても、共和主義にしても乃至は個人主義にしてもその基礎觀念は各人の對立にあり、總てが對立觀念から出發してゐる。之に反し東洋の沒我思想は對立を避けて調和を求める。自由は認めるがそれは相互の發展、全體の爲の自由でなければならない。各個人の性能を發揮しつゝ、同時に渾然として一體たるを理想として居る。自由はあるもその自由たるや、對立のない自由、全一體の發展の爲の自由でなければならない。個我が所謂大我に歸一することによつて自由に意義があり、個我の生命があるのである。これが我國の傳統的精神である。我々東洋人は西洋の思想に眩惑されることなくこの優秀なる傳統的精神を喚起し、東亞新秩序の指導精神に迄高めなければならない。

メーソンが「創造の日本」に於て、爆弾三勇士の犠牲を論理に依つて説明しうるか　陛下と御國との爲に己れを殺すといふことは理窟ではない。そは嘗て發見されたる如何なる理論よりも優れたるものである。その永存が小さき「我」の存續よりも遙かに重大なる「全」のあることを判きり體認したるが爲でなければならない。日本人は最もよくこの「全」を體認する。日本人によつてはそは寧ろ本能的である。そは實に國家以上ですらある旨を強調してゐることは（前掲の書、六―七頁）日本人の永遠に保存すべき特質であるであらう。

ろ、大東亞新秩序に於ける最高價値

自分は序説に於て、新秩序はより高く、より正しい秩序でなければならないことを強調したのであつた。從來我國に行はれた最高價値忠君愛國よりもより高く、より正しい價値とは何であるか。

我が帝國が從來の領土に數倍する土地と人口を包含する大東亞共榮圏の指導者となるとき、その指導原理となるものは、大和民族以外の人々をも包容、納得せしむるものでなければならない。新らしい民族を包容する爲には、以前の原理よりも一段高等なる原理が、より新らしい精神が存在しなければならない。この點に關し吾人に暗示を與へるものは漢民族に於ける忠聖愛道の念で

ある。

支那の歴史は禪讓と放伐の繰返しであつた。その度に苦しむのは民衆である。從つて彼等にとつては國の統治者は誰であつてもよい。問題は道統の維持である。

道統とは天の道であり、萬民を生かすの道である。道統の君主現はれて支那始めて救はると信じてゐる。

君臣既に義なく、民心荒廢に歸して國亡ぶることあるも獨り道統のみ炳乎として不滅である。而してその道を顯現する者が聖人であり、その聖人の道を愛護することが忠聖愛道であると見るのである。

この立場の特徴は禪讓、放伐に煩はされる統治者よりも、炳乎として不滅なる道の方が高いと見た點にある。

そこで我々大和民族に取りて問題となるのは忠君愛國なる思想に些かの損傷を與へることなく、而も之を包容する高次の表現として前記の道なる語が用ひられうるや否やといふことである。

日本書記に記されたる神武天皇の御詔勅には八紘を掩ふて宇となすの前提として「養正」の心を弘むべきことが說かれてあり、「養正」は傳統的な讀方に從へば正しき道を養ふと讀まされてゐる。養正の心が弘められればその結果、八紘を掩ふて宇の如くなされうるのである。

明治天皇の御下し遊はされた敎育に關する勅語に於ても、その末段に

斯ノ道ハ實ニ我カ皇祖皇宗ノ遺訓ニシテ子孫臣民ノ倶ニ遵守スヘキ所之ヲ古今ニ通シテ謬ラス之ヲ中外ニ施シテ悖ラス朕爾臣民ト倶ニ拳々服膺シテ咸其德ヲ一ニセンコトヲ庶幾フ

と詔はせられてゐるが、この中「之ヲ古今ニ通シテ謬ラス之ヲ中外ニ施シテ悖ラス」の之は「斯の道」を指したものであり、「朕爾臣民ト倶ニ拳々服膺シテ」と仰せらるゝとき「斯ノ道」は　陛下すらも守り給ふ、卽ち　陛下に對し奉つても規範として、一段高次にあり、且つ古今に通じて謬らず、中外に施して悖らない普遍的なるものと見做さなければならない。

道といふ文字がかゝる意味に用ゐることを許されるとするとき、大東亞新秩序建設の最高價値を示す語も道なる語で表示し、ヘーゲルが世界史の終局目的は人間の自由にありと見たるに對し、吾等東洋人の歷史の終局目的は道統の顯彰にありといふことは出來ないであらうか。

道統とは天の道であり、萬民を生かすの道である。道統とは儒學者によれば、堯舜禹湯文武周公孔孟を經て宋儒に傳はるものと解されてゐるが、自分はしかしかゝる狹い意味でなく、敎育勅語に示されたる「斯ノ道」の意味に解したい。「斯ノ道」には父母に孝に以下數綱目の德目が含まれてゐることはいふ迄もない。自分は「斯の道」の傳統を湮滅させないやうに努力することを指して道統の顯彰と呼ぶのである。このことを述べる爲にこそ自分は先きに、ランケ、竝にニーチ

ェの說に一面共鳴しつゝも、他面に反對したのであつた。

かく世界史の終局目的として道統の顯彰　提唱するとき、或人は反對するであらう。皇國臣民の執るべき規範は誠の外にない。『誠が自然に對して發せられると「もののあはれ」となり、社會的には「義理」となる。日本の全ゆる文化現象は「誠」から發する。「まこと」は又「眞事」である。誠から發するものは道から發するものでは具體的に證明出來ない。日本に於ては誠をとるべきだと私は思ひます』と昭和十七年九月の筆者の試驗の答案に書いた學生もあつた。

總督府文敎局から出る雜誌「皇國の道」の卷頭にも

明治天皇の御製

寄道述懷

白雲のよそに求むな世の人の
　まことの道ぞしきしまの道

なにごとに思ひ入るとも人はたゞ
　まことの道をふむべかりけり

敎育

いかならむときにあふとも人はみな

誠の道をふめとをしへよ。

が掲げてある。これは尤もなことである。これなくして不可なることについては異論はない。

しからばこの誠と自分のいふ道と如何なる關係にあるかと問はれるならば、誠は皇國臣民の持つべき主觀的精神的態度であり、道は客觀的な規範であると答へたい。中庸にも誠者天之道也誠之者人之道也と述べてゐる。誠は更に他の必要なる要素と共にこの道の内に包攝せらるべきである。例を擧げよう。大東亞戰爭初頭に於て我が海軍が布哇にマレー沖に赫々たる戰果を擧げえた主要なる原因を調べてみると、昨年施行された海軍々事講習の際見聞しえた諸種の事項から推定すると、海軍には海軍として傳統的な海軍魂といふのがあり、それを更に分析すると。

(1) 見敵必戰の精神、敵を見れば例令味方側が劣勢であつても戰はずには措かないといふ戰闘の精神、(2) 土曜、日曜を拔きにして、所謂月々火水木金々といふ休みなしの猛訓練、(3) 人間竝に機械の重視、機械を重視することから科學を尊重する。卽ち學問を尊重する、この三點が巧みに組合されて、世界海戰史上比類のない戰果を擧げつゝあるのでないかと想像される。そこで先きの誠と道とをこの例に當篏めて見るならば、誠は見敵必戰の戰闘魂に、道は三者を包含した海軍魂に相當するのでなからうか。見敵必戰の精神は旺盛であつても機械と訓練が伴はない限り十分の働きは出來ぬ。誠の精神だけあつても之を助くべき手段、方法を缺くとき實效を奏せぬ。

單なる誠だけでは足りないといふ自分の見方に對し、所謂百萬の援兵を得たかの感を自分に起さしめたものは海軍省調査課出版の帝國々防國家論に於て次の如く科學的精神の高揚が說かれてあることである。

東亞古來の文化が所謂「アジア的停滯性」を以て特色づけられた意味も亦深く反省せられねばならぬ。かゝる性格の出て來る所以は畢竟するに、東亞の傳統が自然的、內在的な所與への沒入にあつて、個人の自發的創造性への成長と合理的科學性の培養とに本質的價値を置くことを忘れた所に存するものである。個の自發的創造性と合理的科學性を通じてのみ、自然的・內在的なる所與は自覺的能動的なる課題にまで高められるのである。

かく述べるとき先きに拒否した文化財の自存說との關係に觸れなければならない。自分は眞善美等の規範は方向の指示と解する。方向なるが故に無限に進みて止むことを知らぬものである。かゝる規範によつて統率された人間社會を求めることである。自分が拒否せんとするのはかゝる規範によつて作られた眞とか、美とかの個々の文化財を唯一の存在價値とし、それに奉仕することを唯一の人生の課題と見倣し、美とか眞とかの依つて以て立つ人間社會を存在を無視する立場である。

は、世界歷史の終局目的と大東亞新秩序

カントは「一般世界史の理念」に於て「自然が人間に求める所の最大の問題は正義が支配する所の一般市民社會の成立である」と述べてゐる。掩八紘爲宇とは神武天皇以來我國の國是であつ

た。世界一家、萬法歸一は大道政府の綱領であつた。しかしこれが容易に實現しないことは既に引用せる如くカント自身も認めてゐることであり、更に明瞭に歷史がこれを示してゐる。世界一家は人類生活の理想とはなりえても、具體的には容易に實現されぬ。具體的になりうる爲にはその前階として大東亞新秩序が成立たなければならない。廣域圈的世界秩序が成立たなければならない。大東亞新秩序の構成は世界一家成立の前提である。否前提といふよりは世界一家成立の直前である。この意味に於て大東亞新秩序構成へ協力することこそ世界一家成立の直前へ協力することであり、從つて又世界歷史の最終目的へ協力することであると云はなければならない。

× × × ×

之を要するに吾人は世界史の現實的な動きについてはランケの說に稽へ、現在の處理については親房卿の敎へに從ひ、將來の行衞に關しては道統の顯彰に力むべきでなからうか。而してこの實踐の中樞をなすものこそは二千六百年を貫ぬく大和民族の民族的活力でなくてならない。

第二節　新秩序內に於ける新教育の構想

東亞共榮圈內の帝國の新領土乃至新興國內に於て、我國によつて創めらるべき敎育が、大東亞新秩序建設の基本理念に副ふて行はるべきことは云ふ迄もないことである。而して大東亞新秩序建設の基本理念に關しては既に昭和十七年五月四日、大東亞建設審議會に於て審議確立してゐるそれによると。

「大東亞建設の基本理念は我が國體の本義に淵源し、八紘爲宇の大義を洽く大東亞に顯現するにあり、これが爲各國及び各住民をしてその分に應じ、各々その所を得しめ、道義に立脚する新秩序を確立するを以て要となす」

とある。この發表された根本理念の中、我々教育者に取りて特に注意すべき句は「八紘爲宇の大義を洽く大東亞に顯現する」といふことゝ「各國及び各住民をしてその分に應じ各々その所を得しめる」といふ二點にあると思はれる。卽ち東亞新秩序内に活躍すべき教育者の任務は一面に八紘爲宇の大義を顯揚すると同時に、他面に各住民をしてその分に應じ、その所を得しめるにあるといふべきである。そこで問題は八紘爲宇の大義を如何樣にして顯現するのか、各住民をしてその分に應じ、その所を得しめるには如何なる教育施設を必要とするのか、これ自分の讀者に訴へんとする問題である。

八紘爲宇の大義を洽く大東亞に顯現せんが爲には八紘爲宇の大義を體得した多數の日本民族の大東亞各地への派遣を必要とする。此等の人々の教育方法に就いては第三節日本國内教育の反省と改善に於て詳論の豫定であり、本節に於ては日本を除いた他の共榮圈内の教育問題に限定する。

さて日本を除いた他の共榮圏内に於ける教育は、他の地域に於て活動する日本民族の爲の教育と、新領土、新植民地に於ける教育と獨立國に於ける教育との三種に大別される。順次に解說しよう。

第一　日本民族の爲の教育

大東亞各地に於て活動する日本國民子弟の爲の教育施設の必要なることは呶々を要しないことであり、現に滿洲國、中華民國等各地に於て數多の施設がなされてあることは日本民族發展の爲に誠に慶賀に堪へないことゝ信ずる。從つてこの問題について今更多くを語る必要はないのであるが、たゞ自分が痛切に感じた次の四點につき論及したい。

い、優良民族保存の爲

第一の點は優良民族保存の爲といふ意味に於て、日本民族子弟の爲の教育が必要であるといふことである。日本民族が新領土乃至東亞共榮新秩序内へ出て行く際には彼地の土となる覺悟で行く。又彼地の土となる覺悟のないやうな浮腰の人に往つて貰つたのでは本當の仕事は出來ない。彼地の土となる覺悟で往くことが必要である。而して優秀なる日本人が居ることによつてその土地が開發され、進步するとしたならば、啻に日本民族發展の爲のみならず、その土地の開發の爲にも優良なる日本民族の子孫の保存に特別の注意を拂ふべきである。人種學者ゴビナウの說によると、甲乙二種民族が接觸するとき、指導的地位にある民族はその民族の創造力と衝迫力とを高めるが、他面には高等なる民族は漸次に崩壞する。何故ならば支配的地位にある小數の民族は常にその地位の危險に直接に曝されるに反し、被征服者階級、劣等民族は生命の安全性に於て、又仕事の能率に於て、特に數に於て征服者よりも遙かに勝れてゐるので、被征服者階級は征服者階級を數に於て壓迫し、自分自身に吸收し去るが爲である。かゝる高等民族の血統の劣等化は根原的なる力の枯渇であり、結局は優等民族の滅亡、歷史的作業の崩壞となるとのことである。卽ちコビナウの說によれば二種の民族が同一箇所に住む場合、優良なる小數の民族は、多數の低級の民族の爲に、數によつて壓迫されて遂に壞滅に歸するとのことである。このコビナウの說を讀みて考へさせられることは、國家はこの優良民族の壞滅を防ぐ方法を充分に講ずるといふこと、而してかゝる方法の一として、敎育施設を十二分に設けなければならないといふことである。新占領地、殖民地に於ては元より、日本人の赴く所、東亞共榮圈內何處の地にも設けよと提唱したいのである。

ろ、中等學校の建設。

日本人子弟の爲の敎育に關し第二に述べたきは、啻に國民學校のみならず、更に中等學校迄も是非設けて貰ひたいといふことである。自分が嘗て大東亞戰爭開始以前にフイリッピンへ出張した際にも、マニラに活動してゐられる日本人の方々から中學校設立につき臺灣總督府へ補助を要望されてゐることを知り、自分も亦其必要を痛切に感じたのであつた。その理由は圖南の雄志を抱き、フイリッピンの土になる覺悟で來てゐても、子供の敎育の必要を痛感し、而もその敎育が思ふやうに出來なくなると、往年の元氣を失せ、苦心開拓した事業も棄てゝ內地へ引揚げるやうになるからである。その內地へ引揚げる時期が丁度、女の子が國民學校を卒業するとか、男の子が中學へ入る時期である。中等學校の入學に際し、外地の設備萬端不備な國民學校で學んだ子弟が本國內の中等學校へ入學するには、入學試驗に際し、可なりの重荷を負され、人一倍の苦難を嘗めさせられる外に、滿十二歲から、十六七歲迄の子弟を、親の膝元を離して遠くに置くことは親としては非常に心配なことである。かく考へるとき、日本民族の活動する所、佛印、泰、ビルマ、ジャワ、スマトラ等、その活動する場所から程遠からぬ地に、國民學校は無論のこと、中學校、女學校迄も設けて貰ひたいと念願するものである。自分が昭和十五年二月に中華民國漢口市で日本人小學校を見學した時、下級生の敎室は机が一杯竝んで食出す程であるに反し、六年生の敎室のみは、廣い部屋の中央に机が七八脚竝んでゐるのみであつた。聞けば中等學校入學試驗の爲に大多數の兒童が內地へ引揚げたが爲であるとのことであつた。自分の參觀したのは二月の十四日である。二月の十四日に既に小學六年の兒童の大多數は居ないのである。かゝる點を思ふにつけ、中等學校の建設の必要を切實に感ずるものである。

は　本國に於ける再教育機關の設置

外地で活動する日本人子弟の爲の教育機關として第三に考慮を拂ふべきは日本内地に於ける再教育機關の設置である。外地で生れ、外地で育つた日本人子弟に對し、日本魂を打込む爲に、日本人としての仕上の教育をなす爲に再教育機關を設けるといふことである。蓋し外地育ちは、良く間にはあふが、日本人としての氣力、氣魄に缺くる所あるとは一般の定評なるが爲である。

過般文部省の外郭團體として財團法人子弟教育協會が生れ、在外邦人子弟の補習教育、家庭塾の經營、學資金の貸與等が考慮されてゐることは結構な事であるが、未だこの問題に觸れてゐないのを遺憾に思ふ。

に、外地に於ける教育の特殊性

外地に於ける邦人子弟の爲の教育に關し、教育學徒として更に一言觸れたきは、外地に於ける教育の特殊性である。外地に於ける教育の特殊性の内には、土地の氣候風土に基く、體育保健の問題、地理的竝に文化的環境の差違に基く教科目の補充竝に教科用圖書の編纂等看過することの出來なき重要問題もあるが、それにも増して重要なることは教育綱領の問題である。このことについては在滿洲國大日本帝國大使館、教務部の提示せる先例もあるが自分はそれを修正増補して次のやうに提案したい。

教育綱領

一、日本精神ヲ涵養振作シ盡忠ノ赤誠ニ徹セシムルヲ以テ教育ノ基調トスヘシ

二、大東亜共榮圏建設ノ精神ヲ體得セシメ大東亜共榮圏建設ノ中樞的要員タルノ責務ヲ遂行スルノ志操ヲ涵養スヘシ。

三、他民族ヨリ信頼ヲ受クルニ足ル品位ト實力トヲ涵養スヘシ。

四、指導民族トシテノ雄渾ナル氣魄、强靱ナル身體、精緻ナル科學精神ヲ養成スヘシ。

五、勤勞愛好ノ性格ト堅忍不拔ノ實行力トヲ養成スヘシ。

なほ又外地に於て活動する内地人子弟の爲に嘗て臺灣に於て設けたる、派遣教授の制、小學校通學生無賃乘車證發行、寄宿費補助の制度等は躊躇なく採用すべきでなからうか。

第二　新領土、新植民地に於ける敎育

新領土、新植民地の原住民子弟の敎育について述べる前にその根本方針について述べよう。

一、根本方針

大東亞建設審議會に於て審議確立せる基本理念並に第一節、第三、二、ロ、民族協和の項で述べたる趣旨から演繹さるべき根本方針の第一は適應主義である。

い、適　應　主　義

適應主義とは同化主義の反對にて、同化主義の立場の人々が萬事を本國其儘にやらうとするのに反し、適應主義の立場を取るものは、その土地のものを尊重し、その土地に適した教育を施さんとするものである。元朝に於ける耶律楚材の建策については既に述べた。達魯花赤 darugacin（管民官、監臨官、鎮守官）の制度も參考に資すべきでなからうか。（臺北帝國大學、文政學部、史學科研究年報第六輯、青山公亮、元朝の地方行政機構に關する一考察）宗教の傳播史上で、宗教を他國へ弘めるには如何様にしたのが最も効果顯著であるかを説いたものに傳道教育學（Missionary Pedagogy）なるものがあり、嘗てスタンレイ・ホールによつて詳細説かれてゐる。それによると傳道師が他國へ赴き、原住民を教化した方法は左の二點に要約される。

(1) 從來より行はれたる風俗、習慣を破壞せず、之を利用し、善導し、一層高尚なるものとなすこと。

(2) 世俗の事柄を先きにし、宗教を後にすること。

理解の便の爲に例を擧げよう。ホールが(1)の例として擧げたものには次のやうなのがある。

波斯のミスラ教、希臘のエピクロス主義、羅馬帝政時代に全盛を極めたストア學派が基督教の爲に道を開いたことは世人も知る所であり、基督教は大なる順應者であり、又同化者である。其の効績は在來のものを解釋して一層有意義なるものとなすことであつた。見よ、チュウトン民族の神バルデルは基督となり、ヘドルはユウダスにフランク民族にありてはジイグフイルドはセントジョウジに、ろしやの火神ベルンはエリジヤアに、アポロはセントペリウスに、ロードはバージンになつた。祕露に於てはカソリックはその土地の在り來りの寺にセントフランシスを奉齋し、一層華かな儀式を行つた爲に、在來の古き祭典より、新式祭典に移行するに容易であつた。

メキシコに於ても在來の寺を屢々用ひ、祭壇には在來の偶像の代りに基督及び聖母の像を奉祀した。古來より雨の表徴として崇拜されてゐた十字は救濟の表徴に轉化した。

亞弗利加に於ては回教の布教師は各地方の法律習慣を尊重し、不思議の同化力を以て各種の道徳を活用した、悪魔崇拜は漸次に滅ぜられ、亞弗利加人は彼等の信仰を排せらるゝことなく漸次に新信仰へと轉じた。

ブランデンと名づく才幹ある黒人は曰く、西部亞弗利加に於ては青年回教徒は西歐文化の訓練を受け、基督教的要素を與へらるゝともその方法は一層善き且強き回教徒たらしめるものでなければならない。かくして彼等の環境と劇しき衝突をせず漸次に基督教の長所を同化することが出來たと。

ザビールの後繼者ヅノビリは印度に於て階級制度を攻撃せず、印度語並にサンスクリットを研究し、土地の習慣儀式教理に從ひ、正當の一波羅門教徒たるべきことを要請した。彼は初見には勿論身分を秘し、尋ねられてもその經歷を隱し、最高階級の人々のみの訪問を受け、哲學問題を議論した。彼は印度在來の形式を棄て、階級制度を破らうとはせず、寧ろ印度古來の宗教的習慣に新解釋をつけ、忘れられし吠陀を復活せしめて基督教的要素を含むものとなした。

コルドン將軍曰く、一夫多妻主義にさへ觸れなくば亞弗利加を福音教會化することが出來たにと。

キングスレイ夫人曰く、亞弗利加の傳承の多くは奬勵すべきであり、その中の善良なるものは嚴密に保存さるべく、同化されうる程度に應じて改正を行ふのがよい。吾人は十世紀乃至十三世紀の人間を一擧にして近代文明の狀態に達せしめることは出來ない。

ホールは以上列記のやうな例證を數多擧げた後、結語として曰く、惡いもの、錯まれるものでも若し原住民の精神の心理的發達を無視して無理に壓迫するならば其の結果は例令成功したとしても、その要素は頭を祕し、一代間のみならず、數代を通じて不知不識の間に驚くべき執拗な力を貯へる。これ等は滅するのでなくして、たゞ曖昧になるのである。この精神の祕密の隱れ場から、反撥の要素は徐々に集合し、感情を養ひ、強くなり、恰も莠の、例令莖は伐り取らるゝとも其の根は太りて小麥を弱む如く、機到らば遂に反動を起し、多樣なる煽動的刺戟の下に多樣なる形を取り、自然の心理的結果よりも更に恐ろしき惡結果を將來することが屢々あると。

ホールは第二の例として次の數種を擧げてゐる。

回敎宣敎師は政治的、社會的方法を如何樣に用ふべきかを知つてゐた。例へば支那に於てはその密使は商人として移住し、土人と結婚し、辮髮をつけ、支那の習慣を用ゐ、政府の御役人以外の凡ての事をなした。スマトラに於ては原住民に祖先の靈を崇拜することを許し、遠き祖先は回敎徒とならん事を希望してゐると告げた。

北亞弗利加のカイビルスに赴きし宣敎師は隊をなして身に襤褸を纏ひ、猿の如くに洞穴に住み、醫藥、工業の智識によりて漸次に道を開き、それと名乘らずして宗敎を傳へた。かくてアウグスチヌス以來基督敎の堅城であつた北亞弗利加は回敎の地と化した。亞剌比亞の商人は其の土地の敎に從ふが故に外人とは思はれない。彼等の或者は生きんが爲に實業に從事する商人であるとの印象を原住民に與へながら、實際に於ては商人でなくして說敎師であつた。彼等は屢々武器を傳來して回敎を壓迫する有力なる酋長に賣りつけ、舊き武器を有する酋長等よりも優れたる事を悟らしめた。劍が惡事に効ありとすれば同時に善事にも効ある筈である、墨西哥、祕露では回信と征服、兵士と僧侶は相携へて赴ひた。而してアッテックの寺は基督敎の禮拜所となり、傳來の偶像は聖母と基督の像に代へられた。

支那に於て最初の基督敎傳播者マテオ・リッチは大數學者であり、同時に大科學者であつた。故に他の外人は一般に嫌はれるのであつたが、彼のみは、彼の有する器械並に知識の爲に歡迎され、賞美されるのであつた。

彼は堪へうるもの凡てに堪えた。彼は支那の神と基督敎の神とを同一視し、支那の祖先崇拜と、西洋の死人の祭奠・聖徒の尊崇とを同一視した。彼は宣敎の事を公開せず、たゞ支那の敎說と矛盾しないものゝみを巧みに說き込んだ、彼は僧侶としてよりも寧ろ哲學者として、說敎師としてよりも寧ろ科學者として赴ひた。彼は官吏の歡心を得るに器械とその使用の熟練とを以てして北京に入り、執拗に歎願して遂に皇帝に謁見、任命を受け學校を開くの特權を得た。彼の講義には基督敎的要素を混入したるも反對されることなかつた。眩惑する如き衣に基督敎を包みつゝ儒家を引付け、道德、科學に關する著述をなし、曆を改め、世界の地圖を改良した。

彼は數箇所の敎會を建設したとは言へ、その仕事は寧ろ政策的のものであり、彼は宗敎の宣敎師としてよりも寧ろ西方の學者として知られてゐた。斯くして彼は政府の缺くべからざる人物となりつゝ信仰を弘めたのであつた。

彼に繼いだアダム・シャールは天文學者・數學者にして同時に音樂家であつた。一揆の起つた時には砲壘を築き重砲を据ゑ、皇帝の師となつた。

彼の方法に從ひ大成功を博したベアビーストは占星術をなし得る天文家であり、鐵砲を作り得る數學家であつた。

異敎徒に接するには醫術が最も有效である。治療によつて屢々信仰を改め、原住僧侶の無能なることを證明すと數多の例證の後、ホールは曰く、

人間の精神を轉向させることは容易でない。又古代から傳來の精神内容を現代的内容に變ずることも容易でない。世界は保守で固まり、宗教は種族的傳統に根ざしてゐる。新宗教は舊宗教を一層高等に發展したる新解釋として表現されなければならない。神學上の言葉を借りて云へば神は凡ての宗教中にありと云はなければならない。

と、ホールはなほ進んで曰く、

外國布教の現代の傾向は、原住民族古來の信仰の長所の擁護者・復活者・説明者であるべき時代ではなからうか。宗教の進歩は最も遲きものゝ一である。基督教は……古代精神の飾りなき最上の生産物である。神を愛し人を愛し、神に仕へ人に仕へる人は、その名は如何樣なる名前なりとも基督教徒である。

現地の信仰を充分に理解し、それを理想化することの出來る人でなければ異教徒に對して働きかけることは出來ない。古代宗教の殆ど凡ては墮落してゐる。又宗教程墮落し易きものはなく、絶えず働きかけ、形を替へ、一等高尚なる意味を付與するやう、注意しなければならない。かゝる理由から布教者の第一の任務は、舊信仰、舊儀式の長所を復活し、最高の地位にあげ、最上の回教徒、最上の儒教徒、最上の佛教徒となし、次でこの地盤の上に、次の高等の段階に迄教育しなければならない。……吾人は一層善いもの、一層先きの事に注意して、個々直接の利益に追はれてはならず、必要とあらば異説雜行は出來るだけ忍ばなければならない。……一言で云へば破壞するよりも寧ろ補充しなければならない。

ホールが提唱した二要項の中第一の原住民の持つ風俗習慣を破壞せず、これを善導し、利用し、一層高等なものになすといふ精神は特に尊重すべきものでなからうか。これに反することは教育の原理から云へば活力の壓迫となり、民族の發展力を阻害することゝなる。爪哇に於ても蘭領時代に於て愛國的團體により約二百の學校が設立され、歐羅巴式の教育の外に、インドネシア獨自の傳統を善く保存せんとの事實がある。啻に愛國的團體ばかりでなく、一般原住民の側からも原住民の實際的要求に一層よく合致すること、傳承の文化、原住民の歷史、民族的基礎をより明確に顧慮されたし」との要求が深刻に和蘭政府に對してなされてあつた。

臺灣に於て領臺直後創設した國語傳習所に於て漢文科のなき爲不評を買つた苦き經驗から、明治三十年國語傳習所乙科に漢文科が課せられてより初等敎育から其の姿を消す迄には前後四十一年を要したことは、文敎當事者の注意に値することでなからうか。

ろ、文化主義

大征服者は同時に亦文化の傳播者であつた。ケーザルはこれあるが爲に群を拔いてゐると歷史家は讃へてゐる。彼は羅馬の社會局長（Aedileship）たりし時に競技會、公共建築物の爲に莫大の金を費消した。彼は羅馬曆の改革者であつた。著述家としても當代第一流であり、又熱心なる國語の研究家でもあつた。

アウグスッスの最も大なる事業の一つはドルスス及びチベリウスの助力を得てアルプスの通路を開鑿したることであつた。

現代イタリアに於ける首相ムッソリーニの文化的事業の一つはタイバー河の左岸百八十平方哩の沼地を開拓して小麥畑となし、イタリア國民の食物の自給自足をなし得たことである。しかもこの沼地たるや不毛瘴癘の地として知られ、古代羅馬以來の大政治家の何人もなし得なかつた開拓事業であるだけに、ムッソリーニの效績は一層高く評價されてゐる。

爪哇に於て蘭領時代に和蘭政府は、砂糖・珈琲・紅茶等本來あの地に無かつた優良なる品種を他の土地より將來して彼地の主要產物としたのであつた。日本政府は和蘭政府がなしたよりは一層文化的なる事業をなさなければならない。

文化事業の中、人心收攬に效果的なるものは、科學上の利器の將來と醫療設備にあることはマテオ・リッチ其他の宣教師の支那に於ける業績に就いて容易に知りうる。殊に醫療の設備は最も效果的である。北支に於て北京大學醫學部の教官に日本人教授が加はつてから入院患者數は三倍に、診療費收入は六倍強の增加を示してゐた。（臺北帝大、文政學部出版東亞事情　七四頁參照）

は、重業主義

學を修めることゝ業を習ふことゝは單に概念上分離しうるのみならず、教育制度上に於ても明白に分離し得、殊に新占領地、新植民地に於てはこのことは必要である。未開人に對しでは初づ富ましめなければならない。富める後教ふるも決して遲くはない。かゝる意味に於て、哲學・文學・政治といふ人文的方面は後廻しにして、農・工・商・水產等の實業教育を主にし、原住民をして初づ、衣食の道を向上せしむることが先決問題である。植民地教育學者ベッカーが、極東に於ける各植民地教育の健全なる發達を望むならば、アメリカ合衆國下級中學が最近二十年間採り來つた方向の中にのみ求めることが出來るであらう。この學校は書籍の上の學習時間を減じ、手工乃至家政といふ形式で、生徒の勞作活動の時間を增してゐるのである云々と述べてゐることは參考とすべきであらう。

臺灣に於ては初等敎育に於て現在に於ても實科を重要視し、又臺灣人の爲に最初に設立された中等敎育機關も鐵道、電信、農業等實業に關するものであつた。

に、共榮理念の普及

重業主義を說くとも、政治關係については全く盲目たらしめるといふのではない。東亞共榮理念については充分なる自覺を與へ、自覺を與へるに必要なる敎育施設は惜まず出費すべきであらう。

共榮理念を說くに當つて東亞共榮圏に於て特に必要且注意すべき事項は人間生活に於ける國家の重要性の强調である。

畏友熊木捨治君が臨時政府敎科書編審會顧問として北京市に出張中に、中華民國の敎育に關し知り得た缺陷數種の中その隨一は、支那の敎育に於ては國家といふものを忘れてゐたといふことであつた。その顯著の例は敎科書内の或る箇所で日本でならば某々の事項は啻に個人の爲のみならず國家の爲にも無くてならぬ必須事項であると記する所を、支那側の人は國家と記さないで社會人類の爲と記すべしと主張する。そこで妥協して、國家社會の爲といふ熟字を使用したと、卽ち支那人に取りては人間生活に於ける國家の意義、有難さは判らないのである。

北京特別市教育局長、王養怡氏は自分が昭和十五年三月訪問せし時、雜談の中に曰く、「日本には忠といふことがあつて臣民の進退は一存では行かないのであるが、支那にはそのことがないので、自分が好まなければ明日にでも官を辭し得るのであると。」卽ち現代の支那人に取りては自己が初づ第一にあるので、國家は副次的存在たるのである。

個人が主であつて國家が從であるといふ見方は敎育上に於ては學校の職員組織の上に現はれてゐる。一學校の職員組織は校長の請負仕事となり、敎授すべき科目の性質から職員を決定するのでなくして、一族郎黨の糊口の必要上から職員を決定するのである。換言すれば國家といふ立場から職員が選定されるのでなくして、個人の立場からされるのである。北京師範學院敎授某氏曰く、師範學院には敎科課程なるものなく、或る學級は一週四十時間、或る學級、例へば敎育倫理系は一週二十一時間である。かく學科課程は決定されず、さりとて一時的のものもない。敎授の必要から人を採用するのでなくして、人に生活を與へる爲に授業時間を設けるのである。院長は理科系の人故、理科系の敎官は多く、他は少ないと。

右は老大國支那に於ての一例であるが、他の共榮國內に於ても類似の國家觀を抱くもの無からうか。東亞共榮各民族に對しては思想としては初づ第一に人間生活に於ける國家の意義を、同時に東亞に於ては東亞共榮圈の意義について普及宣傳する所がなければならない。

東亞共榮理念普及宣傳の具體的方法については次に說く諸種の敎育施設を通じてなさるべきものと信ずる。

二、最初に着手すべき重要事項

東亞共榮圈內へ新たに加入されたる地域に於て最初になすべき敎育上の主要事項を列記すると次のやうである。

い、新政府敎育方針の指示

中華民國臨時政府に於ては、臨時政府敎育部訓令（東亞事情四八頁參照）を、維新政府に於ては、中華民國維新政府政綱第七條（同上第七五頁參照）に、又維新政府敎育宗旨（同上、同頁參照）と稱するものに揭載されてゐるが餘りに簡潔すぎるやうである。蒙古聯合自治政府管內の學校では、蒙古聯合自治政府成立宣言（同上、四三頁參照）と稱するものを我國の敎育勅語の如く讀ましてをり、滿洲國に於ては囘鑾訓民詔書（拙著、鮮滿の興亞敎育、一八〇頁、參照）を同樣に取扱つてゐるが、蒙古聯合自治政府成立宣言も、囘鑾訓民詔書も共に本來は國是を示したるものにて、教育固有のものではない。國是を示すもの﹅外に、我國に於ける教育勅語のやうに、教育固有のものが望ましいのでなからうか。天津にて活動する邦人初等教育者某氏は原住民青年教育者の意見を代表して曰く、民衆はパンに飢え、青年は思想に飢ゆと。

ろ、軍人、官吏、教員等指導者の養成

晋北政廳にては晋北自治政府の公務院、準公務院の訓練養成を目的として晋北學院なるものを設け、行政、財務、師範、警察の各科に分つて滿一箇月間の教育を施こし、一回一百三十名前後宛、數回に亙つてなしてゐた。（東亞事情、四三頁參照）

又臨時政府に於ては官吏・軍官養成機關として、新民學院、高等警察官學校、陸軍軍官學校、陸軍憲兵學校の四種が設けられ（同上、四九頁參照）、新民學院にては行政官吏の養成を、高等警察官學校にては、高等警察官及び司法官の養成を、陸軍軍官學校にては青年將校の訓練養成を、陸軍憲兵學校にては青年憲兵の養成を目的としてゐる。

教員の再教育機關としては師資講習館を開設し、中小學教員の再教育に當つてゐる。（同上、五〇頁參照）

漢口に於ても小・中學校教員再教育の爲の教員訓練所の設けがあつた。講習期間、教科目、時間數等については東亞事情十二頁以下參照されたし。

維新政府に於ては維新學院（同上、八一頁―八九頁參照）といふのを設け、官吏と產業戰士の養成を計り、敎員の養成に關しては維新政府敎育部敎員養成所といふのがある。（同上七六―七八頁參照）

蒙疆、北支、中支何れを見ても新秩序建設の爲には最初に官吏、軍人、敎員等の再敎育を計つてゐる、しからば次の新占領地に於ては何れを模範とすべきかと問はれるならば青年將校、青年憲兵、高等警察、行政官吏等の再敎育乃至養成については、夫れ〴〵專門の方々の指揮に待つべく、敎員の再敎育については維新政府で計畫し、維新政府敎育部敎員養成所で實行しつゝある敎員養成五箇年計畫案なるものが最も妥當なるものとして推奬しうると思はる。

同案によると、

a. 新政府敎育樹立の方針を敎導する爲に全國敎員（主として小學校敎員にて、中等敎員は極少數なり）の再敎育を施す。

b. 學級增加に伴ふ新敎員の養成

c. 日語敎員の養成

の三種に別れ、五箇年内に於て、再敎育されるもの二八〇〇名、新敎育のもの、七五〇名、日本語敎師、四百名を、合計三九五〇名を敎育し、中支敎員の殆ど全部が訓練されることゝなつてゐる、

（東亞事情七七頁參照）數字の點は別として、斯かる計畫の趣旨方法は範とすべきでなからうか。

は、青年層の教育

晉北政廳佐々木事務官の談によれば晉北政廳治下に於て最初に着手すべき教育上の問題は、鄕村建設に役立つべき青年教育であり、それを終りて後に國民教育の充實に移るべきであるとのことであつた。軍人・官吏・教員等の指導者の再教育と相竝んで急遽なすべき仕事は都市竝に地方に於ける青年層を把へることである。

この點につきては晉北滅共青年隊中央本部訓練所で實行されてゐた訓練實施要項が先蹤として推奬に値するものと信ずる。（東亞事情三六頁—四一頁參照）

に、教科書の編纂

北支の臨時政府に於ても、中支の維新政府に於ても教科書の編纂については多大の努力が拂はれてをり、日本文部省からも其道の專門家が行きて指揮・監督をしてゐた。

教科書の編纂は單に學校の教科書のみでなく、社會教育に關するものをも含めてゞある。社會教育に關するものとして維新政府では民衆學校千字課、民衆學校算術、公民課本、自治課本、合作課本、衛生課本、生產課本、識字運動課本の八種が編纂されてゐる。

教科書編纂に關し特に注意すべきは用語の問題である。爪哇に於ては和蘭統治時代には小學校の教科書も用語の上からは八種に別れてゐたと聞く。東亞共榮理念の普及の爲には例令面倒であらうとも原住民の日用語を利用し、その言葉で編纂した教科書乃至宣傳書を使用すべきであらう。殖民地乃至新占領地に於ける日本語教授施設に關しては項を改めて述べる豫定である。

三、教育制度の確立

教育制度の確立については滿洲國が既に日本の教育制度の長を採り短を棄て且彼の地に適する教育制度を確立した。（鮮滿の興亞教育、五三頁以下參照）蒙古聯合自治政府にては滿洲國の新教育制度の長を採り短を棄て、以て彼地に適合するものを制定した。（東亞事情三二一頁以下參照）故に新たに東亞共榮圈内に入れる地域については蒙古聯合自治政府の教育制度を直接の參考とすべきであらう。但し種類・編制・數量等に關しては、東亞共榮の根本方針に反せざる程度に於て其の土地の舊來の儘とすることが妥當である。殊に爪哇に於ての連鎖學校の制度は啻に存續の價値充分なるのみならず、更に他の地域にも適用すべき有效なる制度と信ず。

今蒙古聯合自治政府の學制等を參照しつゝ學制立案上の注意點を列記すると次のやうである。

い、私立學校の監督

國民の教育は當然國家に於て責任を持つべきものであり、原則として私人に委すべきものではない。私人經營の教育には種々なる幣害が伴ふ。例へば營利を目的とするとか、特殊の個人的思想又は宗教を宣布せんとする如きである。故に私人の學校經營は承認するとしてもその經營、教育方針、教師の任命等については嚴重に監督すべきである。朝鮮に於ては專門學校程度の學校で皇民化運動に參加しない爲に、設立認可の取消を命ぜられたるものが鹽原文教局長の時代に八校に及んだと聞いてゐる。尙其の外に設立の動機に於て香ばしからぬものもあるとの由である。兒童の世界觀的統一に主眼を置くとき、學校の經營は國家が直接になすことが最も便である。

臺灣に於ては私立の初等教育機關たる書房、義塾に於いては、教科書を與へ、乃至は指定しても採用せず、又理科等に關しては教へる力もなく、他面に淸國本位に編纂されたる不穩當なる圖書を使用するものさへ現はれて、その監督には當局は可なり煩はされたやうである。

ろ、修業年限の短縮

滿洲國竝に蒙古聯合自治政府に於ては、相當の年齡に達したものが何年迄も學校に居て、社會人として立つ時には既にその精神力、活動力が鈍つてゐるといふのであつては國家經濟から見て全く無意味なことであるといふ見方から、滿二十歲で大學が卒業出來るやうに學校體系を作つてゐることは注視すべきであらう。（東亞事情三一頁以下、鮮滿の興亞教育五三頁以下參照）蓋し人間の修學は一生涯止まざるものなるも而も先輩の指導に待つべき修學は理想としては丁年迄であり、爾餘は自學自習を本體とすべきであるからである。

は、教授用語

用語につきては官用語が何であるかによつて決定さるべきものなるも、例令官用語が日本語となつた後に於ても、文化の影響の及ぶこと遲き僻遠の地にある簡易小學校の如きにありては原地語と日本語の二語竝用であるべきと信ずる。蓋し日本其儘の文化を未開地へ移さうとしても一朝一夕には成らず、植民地教育學者は各殖民地に於ける多年の經驗から歸納して、强いて本國の文化を移さうとせず、その土地に相應した文化の花を咲かせよと慫慂するが故である。仍て學校に於ての用語は、

a　小學校に關しては敎語として原住民語を用ふるものと日本語を用ふるものと二種設立すること、

b　中等學校以上にありては敎語としては日本語を用ふることを原則とするも、原住民語を用ふる學校を認めること、

に　日本留學竝に歸國後の地位に對する考慮

啻に東亞共榮理念に徹し指導國の文化を充分に理解するのみならず、更に學術の蘊奧を究める爲にも共榮圏各地の子弟を日本内地に留學せしめることは必要にして又必然の事項である。滿洲

國に於ては日本國に留學せしめる爲に、東京帝國大學、高等師範學校其他の學校と豫め聯絡を取りて席を設け年々、一百七十五名の學生を留學せしめうることゝなつてゐる。臨時政府に於ては北京市に興亞高級中學校と稱する日本留學の爲の特殊の豫備學校を設け、日本語に關しては、日本の學校に於て直接聽講しうるの語學力を養ひ且學科目に關しても日本の中學校卒業者と同等以上の學力を得しめるやう努めてゐる。（東亞事情五四頁參照）外國の學校に居る一箇年は自國の學校に居る三箇年に優るとは張之洞が勸學篇に於て述べたる有名な句である。原住民の秀才は日本に留學するやう道を開くこと、又土民王族の子弟についても日本留學の道を開くことは特に必要でないかと考へらる。

留學のことゝ同時に考慮すべきは此等留學者が歸國した際には適當なる官職を與へるといふことである。若し適當なる官職を與へず、遊民として放置するときは却て禍根を殘す結果となる惧れがある。

四、大東亞新秩序の建設と日本語敎授施設

い、序　說

大東亞新秩序が建設せらるゝに當り、該新秩序内に於ける大日本帝國の地位は、他の諸國、諸

地域と竝列の意味に於ける參加ではなくして、爾餘の地域に對しては中樞となり、指導者となりつゝ新秩序を建設するのである。從つて敎育制度に關しても他の諸國、諸地域の制度は漸次我國の制度に準ずることゝなるべく、殊に日本語の學習、日本精神の體得については熱烈なる希望のあるは論を俟たないことである。

そこで問題は各國竝に各地新領土に於いて日本語竝に日本精神の普及については如何樣な設備をなすことが最も效果的であるかといふことである。

いま日本語、日本精神と竝稱したのであるが、日本語を普及することは日本精神普及の前提として缺くことの出來ない條件であるから、結局問題は東亞共榮圏內の各國竝に各新領土に於いては日本語普及の爲の施設は如何になすべきかといふことになる。

ろ、滿洲事變發生より大東亞戰開始以前になされたる施設

所謂九・一八事件以後大東亞戰開始前迄に本問題に關し如何樣な設備がなされたかを見ると、昭和十五年二、三月の頃、筆者が見學した際には、中華民國の內武漢に於いては武漢特別市暫行小學校規程により、日本語敎授は小學校初級（修業年限四箇年）にはなく、高級（修業年限二箇年）に於て每週二時間宛であり、北支臨時政府治下にあつては、國立北京師範學院附屬小學、同女子師範學院附屬小學を初め其他の小學校に於ては、初級三、四年に於て每週六十分宛、高級一

二年に於て每週九〇分宛を課し、維新政府治下の南京市立第一模範小學校に於ては五、六年生に對し每回三十分宛一週六回課し、又蒙古聯合自治政府治下の小學校に於いては初級一年に於て四時間同二年に於て五時間、三、四年、竝に高級一、二年於て各六時間宛となつてゐた。即ち圖表すると、次のやうである。

中華民國各地小學校に於ける日本語敎授每週時間數

地域名＼學年	初級一年	初級二年	初級三年	初級四年	高級一年	高級二年
武漢特別市小學校	—	—	—	—	二	二
北支に於ける小學校	—	—	六〇分	六〇分	九〇分	九〇分
南京模範小學校	—	—	—	—	三十分宛六回	三十分宛六回
蒙古聯合自治政府小學校	四	五	六	六	六	六

次に日本と最も關係の深い滿洲國について見ると、流石に日滿一德一心の精神に基くだけあつて、日本語は各學校體系を通じて國語の一として重要視され、初等敎育に於ての時間表を見ると次の表の如くなつてゐる。但し日本語として特別に敎へるのでなく、國民科の總時數を大體折半し、一半を日語に依り、他の一半を滿語又は蒙語に依ることゝなつてゐるので、國民科の中、日

本語によるものゝ時間數を示した。

滿洲國初等敎育に於ける日本語による國民科の敎授每週時間數

學年 / 初等學校の種類	第一學年	第二學年	第三學年	第四學年	第一學年	第二學年
國民學舍及國民義塾第一班（修業年限一箇年）	一〇					
同第二班（修業年限二箇年）	八	九				
同第三班（修業年限三箇年）	七	八	九			
國民學校（修業年限四箇年）	六	六	七	八		
國民優級學校（修業年限二箇年）					八	八

なほ白系露人の爲の學校について見ると昭和十五年九月筆者が參觀した新京市站後街國民學校に於いては、各學年を通じ日本語の每週敎授時間數は六時間であり、哈爾濱市公立砲隊街國民學校竝に同國民優級學校に於いては每週三時間であつた。

右に述べた如く、中支、北支、滿洲國に於ての先蹤はまち〳〵にて一定して居らぬ。しからば大東亞戰開始以來新たに大東亞新秩序內へ編入された諸地域に於ての學校體系中に於ける日本語敎授は如何になすべきか。しかし本論に入るに先だつてなほ考慮すべき重要なる點が二三あるから次にその點を述べよう。

は、制度確立前に考慮すべき諸要素

A　共榮圏内諸地域の性質的差異

等しく共榮圏と云つても、その中には獨立國として加はるものと、日本の新領土として加はるものとの別があり、後者の中にも亦大日本帝國の重要なる一肢體となつて加はるもの（例へば曽て當局は臺灣をば第二の沖繩縣と見做して一視同仁政策を取り、現在もなほ取りつゝあるが如き）、一肢體としてゞはなく植民地と見做されるもの、乃至は現在はその時期でなくともやがては獨立を認める地域等の別があり、かゝる區別に從つて同化政策を取るか、適地政策を取るかの別が生じ、日本語學習の必要度にも濃淡緩急の差が生ずる。從つて吾々はまづ第一にこの點に注意しなければならぬ。

B　教授者の立場から見たる難點

a　日本語教師の拂底

教授者の立場から見たる難點の第一は教育界は格別人材不足で惱んでゐるといふことである。臺灣に於いても昭和十八年度から義務教育制度が施行されるのでその準備として初等教員の大量養成がなされつゝあるが當局の望まれるやうな、學歴、素質の人材が集まりにくいので御困りのやうに洩れ聞く。大東亞共榮圈内に於て中央に、敢て文化的中央とは云はぬが、地理的中央にある臺灣の地に於てすらも斯くの如く敎員の攫得に惱んでゐる。今後南方諸地域に於て優良なる日本語の敎員を得ることは可なり骨の折れることを豫想しなければならない。

b　原住民の日本敎師たることの容易ならざること

かく云へば、日本語普及については日本人自ら陣頭に立つ必要はない。原住民をして日本語を學ばしめ、學び得た彼等を通じて日本語を普及せしむればよいとの說も起るが、これには次のやうな難點あることを覺悟しなければならない。

筆者ある時臺北市の著名なる學校で臺灣人の女敎員の授業を參觀してゐると「袴をきる」と敎へてゐるのを見、如何に國語の六箇しいかを痛感した。又反對の例としては印度ラクナウ中學校長カリ・ダス・カプル氏が著はした「日本の敎育」と題する本を見ると、日本の敎育事情につきては大體に於て絕讃を惜まないでゐるが、たゞ一點だけ酷評を下してゐる。酷評を下された一點といふのは中等學校の英語敎授である。氏は曰く「日本の中學校の英語敎授はなつてゐない。第一敎師からして英語が碌に話せないのであるからと。」カリ・ダス・カプル氏が參觀した中學校といふのは外人と接する機會の少ない片田舍の中學校ではなくして文部省の御膝元、東京市内にある著名な某中學であつたのである。

斯様に語學の先生たることは六箇敷いものであるから、大東亞共榮圏內に日本語を普及する爲には、主要なる地位には標準日本語を教へうる優良なる日本人の教師を配置されたいものと思はる。かゝる希望を抱くとき一面には費用の嵩むことを豫想し、他面には前述のやうに數の上で可なりの制限を受けなければならない。

C　日本語學習者の立場から

a　學習の容易ならざること

次に日本語を習ふ人の立場から云ふと、日本語の學習は一見左程六箇敷いものとも思はれぬ。このことは日本語を常用せざる家庭の子弟を收容する國民學校第一學年の授業を、入學後七、八箇月經た時參觀すると、よくもかく早くに日本語が覺えられたものと驚歎することがある。兒童が齊唱する場合には一點の非難の打ち所もないやうに聞え、殊に唱歌などの場合にはその感を深くする。一昨々年ハルピンの國民學校で金髮碧眼の少女が紀元二六〇〇年の歌や愛國行進曲を歌つてくれたのを聞いた時、餘りに日本的なので驚いたのであつた。しかし一人々々について詳細に檢討すると未だしの感が生じ、サ行のシの發音など彼等に取つては六ヶ敷いものゝ一つであることを知つた。漢字を書く段になると一層努力を要する。北滿學院で白系露人が板書してゐる所を見學せしが、觀覽席の觀に覽など可なり厄介のやうに見受けられた。更に滿人に取りては同一の漢字が日本から滿洲へは發音を異にし、時には意味をも異にして移入されるので二重の困難を感ずるとは滿洲國協和會某研究者の御話であつた。

b　日常生活に於ける日本語の必要度

凡そ幾割の人間が日本語を必要とするかを知る爲に、日本の領土になつてから四十七年餘を經過した臺灣に於て日本語の理解者が幾割あるかといふと、今から十一年前の昭和七年四月末現在では全人口の二二・七％であり、七年後の昭和十四年四月末には四五・五九％に昇り、十五年四月末には五一％迄昇り、一昨年四月末では五七％に昇つてゐる。圖表すると次のやうである。

臺灣に於ける國語解者進展狀況

解者別／年度別	公學校生徒數	同上卒業者累計	國語普及施設生徒數	同上修了者累計	合計	臺灣人人口	國語解者百分比
昭和七年四月末現在	五九一,〇六七	三六四,三八六	四二,三六二	三四,五三七	一,〇三二,三五二	四,四九六,八七〇	二二・七
昭和十二年四月末現在	四五八,〇三三	五五一,二四六	二六三,三七一	六六一,四六一	一,九三四,〇〇〇	五,一〇八,九一四	三七・八
昭和十四年四月末現在	五四四,六三二	六〇五,一五八	四九六,五三一	八一二,一三九	二,四五八,四六〇	五,三九二,八〇六	四五・五九
昭和十五年四月末現在	五八一,六一五	六一六,三九四	七六三,三六三	八五五,六三一	二,八一七,九〇五	五,五二四,九九〇	五一・〇〇
昭和十六年四月末現在	六九二,八二三	七三六,七九五	七三五,三〇三	一,〇七六,〇四一	三,二三九,九六二	五,六八二,二三三	五七・〇二

但し右の五七％といふ内には五十日乃至百日間開催の國語講習會に出席したものをも含めてあるので、眞に日常の會話の出來るものといふことになると全人口の三〇％でないかと想像される。かゝる數字は何を示すかといふと、臺灣土着の原住民の七〇％は彼等の側から云はしむれば、日本語を知らなくても日常の生活に差支へないといふことを示すものである。所謂「帝力何ぞ我に於て有らんや」と云つた鼓腹の民が、日本領土になつてから四十七年餘を經過した今日に於てもなほ七〇％前後存するといふことである。

D　東亞共榮圈確立に關し原住民の協力の必要

東亞新秩序の建設には各原地の住民の協力こそ絶對的必要條件であることについては贅辯を要しないことゝ思ふ。彼等を從屬的地位にのみ限定しないことが必要であり、その爲には單に小學敎師、下級官吏、下級技術者を養成する程度の低い、申し譯けのやうな敎育施設をなすのみならず、彼等にも亦指導的地位が容易に得られるやう高等敎育を受けうる便宜を與へなければならない。

E　前記四點より暗示さるゝ點

制度確立前に考慮すべき諸要點として以上ＡＢＣＤの四點に亙つて述べたことを要約するならば、等しく共榮圈内にあつても、帝國領土の一肢體、植民地、獨立國等の別があり、日本語を敎へる側から云へば、優良なる日本語敎師を東亞共榮圈の各地に配置する爲には費用が可なり嵩む上に人數の上でも制限を受けること、又日本語を學ぶ側から云へば、學習が相當困難なる上に、日常生活に於て役立つ機會の惠まれてゐるものは比較的少數の範圍に限定されてゐること、されど原住民の東亞共榮圈確立への協力は必要であるといふことである。從つて右の結論から吾人に暗示されたる道は少數の利用者には日本語學習の徹底的設備をなし、大多數のものには第二次的方法を取るといふことである。

に、爪哇に於ける先蹤

ヘーゲルの哲學說を待つ迄もなく大凡世上に存在するものには合理的の根據があり、敎ふる所多いものである。爪哇に於て和蘭人のなした敎育施設に關しても同樣である。該施設に關しては一面には原住民を搾取せるものとの非難も起りうるが他面には今の場合參考に資すべき點もあるやうに思はれる。その主なるものは、和蘭本國の制度を其儘移さうとしないで「異つた必要の爲には異つた敎育を」「適當な場所には適當な敎育施設」をなしたといふこと、從つて他に類を見ない連鎖學校といふものを設立したことである。今少し詳しく紹介するならば、

A 適學適所

財政的にも社會的にも餘り發展してゐない村落に住む兒童に堂々たる校舍を設備し、身分不相應に高い敎育を施しても、兒童にも延いて村落にも、彼等の社會的秩序、慣習を破壞する虞れこ

そあれ、福祉を齎らす所以とはならない。未開の兒童に不相應な教育を施すことは、その結果は往々所期の目的に反して學問を鼻にかけ、無學の父母隣人を敬せず、村民と親和せず、遂には素朴な彼等の社會を嫌惡して徒らに都會に憧がれ、都會に走る惧れがあるとの見方から、その土地、その住民に必要以上の教育施設をなさず、簡易な小學校を多數作つた。

B　本國語學習開始期の確定

原住民の子弟にして未だ原地語をも充分に語りえない中に早くも蘭語の學習を開始することに關しては屢々問題を惹起し勝ちであつたので、遂に一九三〇年に到り蘭土學校（原地上流子弟の學ぶ國民學校）の下級の三箇年は和蘭語によらず、全部原地語にて教授することが教育學的見地より見て妥當なりと決定され、實施されてゐる。小學校に於て外國語を課することの可否に關しては、中華民國臨時政府に於いても稍〻これに類似したことが民國二十七年三月八日第一次會議で決定した學制研究會建議案に於て述べてある。爪哇の蘭土學校に於て和蘭語を下級の三箇年間教授しないことは次に述べる連鎖學校と關係があるのである。

C　連鎖學校（Schakel or Liaison school）

連鎖學校とは第二級國民學校（修業年限は蘭土學校と同じなるも和蘭語を履修しない爲に上級學校へ進めぬ）又は村落の庶民學校（修業年限三箇年）に於ける最初の三年を終了し、將來有望、且餘裕ある兒童の爲に設けたる學校にて、こゝで和蘭語を學び且一般普通知識を修得して歐式の上級學校へ進學しうることゝなつてゐる。

この連鎖學校の開設によりて村落の平凡な庶民學校へ入學しても、優秀なる兒童は自己の希望する上級學校への連絡路を見出すことが出來、最高敎育施設たる各大學へも進學し得る可能性が保證された譯で、今迄この道を閉されてゐた原住民子弟の幸福は蓋し絶大なるものがあつたのである。從つて地方原住民の間ではこの學校の考案は正に天才的魔術的妙味あるものと評されてゐた。筆者の見る所では東亞共榮圈の各地に於いては、大日本帝國の一肢體と見做される重要地點は別であるが、其他の地域に於いては、一々の小學校で日本語を課さなくともこの連鎖學校の制度を採用致したならば、間に合ふのでないかと思はれるのに、寡聞なる自分はこの制度が爪哇以外の地に施かれたのを聞かないのである。

ほ、東亞共榮圈内に於ける初等敎育制度の大綱

結論を述べるならば、東亞共榮圈内に於いては日本語學習を考慮して左記五種の機關を併置すべきでないかと信ずる。

一、皇國民小學校、昭南港其他日本人の多數居住する地に、日本人子弟の爲に設け、敎科内容は內地國民學校に準ず。

一、東亞民族小學校、日本領土の一肢體として重要なる地域乃至植民地内重要なる都市に、東亞共榮圏確立に直接協力すべき原住民子弟の爲に設く。日本語其他の敎科内容は大體臺灣公立國民學校規則第二號表による。

一、原住民族小學校、やがて獨立を許されると思はれる地域、植民地等に設置し、敎科内容は東亞共榮圏確立の趣旨に反せざる範圍内に於て原住民の採擇に任す。程度は前二者に準ず。

一、原住民族小學塾、民度低く、世の潮流と直接交渉なき地に設け、原住民の子弟を敎育す。修業年限は一箇年乃至三箇年とする。

一、東亞民族小學塾、先きに紹介せる連鎖學校に倣ひて設立し、原住民族小學校又は小學塾の第三學年終了者を收容し、日本語を敎授し、日本式上級學校への進路を開く。日本語普及に關する人物と經費を最小限に留めつゝ、しかも原住民中の穎才を集め、原住民の向上心を滿足せしむるを主目的とするものであり、又の名を登龍門小學校とも稱すべきか。

前記五種の學校と各學年に於ける日本語敎授時數竝に進學路を併記すると次のやうである。

學年／學校の種類	第一學年	第二學年	第三學年	第四學年	第五學年	第六學年
皇國民小學校	日本文部省制定國民學校令施行規則による。					

東亞民族小學校	一三	一五	一四	一三	一三	一三
原住民族小學校	—	—	—	—	—	—
原住民族小學塾	—	—	—	←		
東亞民族小學塾				←六時間以上	同上	同上

註 第一、東亞民族小學校については國民科の時間總數を示した。
第二、原住民族小學校に於ては日本語は隨意とす。
第三、矢は進學路を示す。

五、日本國民子弟の原地國王に對する關係竝に原住民子弟の日本天皇に對する關係

この關係は日本籍民にして滿洲國の官吏になつてゐる人、又は國策會社に勤務してゐる人の場合に類似してゐる。道德の格率として日滿一德一心といふ言葉が盛に用ひられてをり、回鑾訓民詔書に於て「朕日本天皇陛下ト精神一體ノ如シ、爾衆庶等更ニ當ニ仰イデ此ノ意ヲ體シ友邦ト一德一心以テ兩國永久ノ基礎を奠定シ東方道德ノ眞義ヲ發揚スベシ……」とあるが、東亞共榮圈内

各地の王様、主權者の日本に對する關係も斯樣でありたいと思ふ。

共榮圈内の各國と日本との關係が斯樣であるとするとき、忠良なる日本臣民は同時に忠良なる○○國臣民でなければならない。

滿洲國で或る日本人小學校が滿洲國皇帝陛下の萬壽節（日本の天長節に相當す）に休業しないので忠告を發したる所、こゝは日本の支配下にあつて滿洲國の支配下でないから休まないと言つたので物議を釀したことがある由なるも斯かる態度は再び繰返さないのが望ましくなからうか。

第三節　日本國内敎育の反省と改善

本問題については制度の上からと精神の上からとの兩面から論じうるのであるが、初めに精神の側から述べよう。

我國の敎育の改良すべき點は外國人が見た場合に、又日本人ならば外國に居て我國を反省した場合に一層明瞭に眼に映ずるものである。

外國人が見た場合の一例を述べると、日本贔屓の印度人、前記ラクナウ中學校長カリ・ダス・カプール氏が氏の著日本敎育の中に日本敎育の保健上の缺陷として、

食物の榮養價値の少ないこと。（例へば牛乳は乳兒か病人のみが用ひ一般人は用ひない）

入學試驗の爲に過度の勉强をしなければならない。

高等教育機關が大都市に集中して學生の健康によくないこと。

飮酒、喫煙の習慣がつき、結果、視力が弱り、齒が惡くなり、肺病の徵候を有する。

と四箇條を擧げてゐるが、高等教育機關が大都市に集中してゐて健康によくないとか、飮酒・喫煙の害を擧げてゐることは相當痛い所を衝かれてゐるやうに思はれる。

次に日本人ならば我國に居る場合よりは外國に居て我國の教育を反省した場合の方が一層明瞭に眼に映ずると云つたのは、筆者が中支、北支を旅行せる時、現地に活動さるゝ、軍人、官吏、實業家の方々から御話を聞き得る所極めて多大であつたが爲である。で自分は今、日本教育の改造を說くに當り、現地に活働してゐられる各種類の日本人の方々、竝に支那側の高官の方々に就いて聞き得た點竝に卑見を述べ、旁々我國現代教育について强調すべき點を述べよう。

第一　國體觀念の徹底

昭和十五年二月十八日午前自分は岳州から蒲圻へ向ふ際、偶然にも部隊長某氏と岳州かな趙李橋まで同乘する好機を得、現地に活動さるゝ方から、最も切實に感ぜられる要求として同氏の擧げられた數項目の中の第一は、國體觀念の徹底といふことがあつた。

三月十一日蒙疆、大同にて晉北政廳に次長前島昇氏を訪ね諸種の話を聞く內に「大同は桐原であり、自分は神武天皇の身代りであると思つて活動してゐる」との堅き信念の吐露があつた。前島氏の抱懷せらるゝ信念が現地に於ける活動に際し原動力として如何に有效なるかは贅辯を要せぬことであり、ジャンダルクに於ける神の宣託以上に有效であるであらう。同樣の信念は單に軍人、原地に於ける活動者のみならず一般人に取りても必要である。しからばかゝる信念、かゝる國體觀念の由つて生ずる論理的根據は何であらうか。又これに伴つて敎育上注意すべき必須條件は何であらうか。

前述の如き信念國體觀念の由つて生ずる根據が歷史的主體として聖天子を仰ぐことにあることについては既に述べた。（三七頁參照）之に伴ふ必須條件の第一は犧牲的精神の涵養である。

い、犧牲的精神の涵養

軍隊に於ては遺骨になることは師團長、陸軍大臣になることよりも尊いと說かれてゐるとのことである。陛下に身を捧げ死を鴻毛の輕きに置くことによつて、古くは上海の爆彈三勇士、近くは眞珠灣頭九軍神の心掛けあつてこそよく大和民族としての偉業を果しうるのである。一將功成萬骨枯と稱する如きは歴史的世界に於ける英雄の地位――民族總意の代表的地位――を知らぬ感傷的詩人の戯言か乃至は惡平等觀に立つ個人主義者の泣言と見るべきであらう。

世界は今、自由主義、民主々義國家が敗頽して全體主義國家の勃興しつゝある今日、小我を棄てゝ大我に生きるといふ東洋の沒我思想は彌が上にも奬勵すべきであらう。

今流行のファーシストなる語は拉典語 Fascis から來てゐる。Fascis とは古代羅馬の高官の持つ、我國の笏に似たるものにて、多數の細棒を束となし、それに斧を付したるもの。細棒の束は多數者の協力一致を意味し、斧は違犯者の首を刎ねることを意味すると。

何が故に國家は個人の犠牲を要求するかと問はれるならば、國家は個人よりも先きに存在し、且個人は凡ての點に於て國家の庇護の下にあるものであり、個人は生滅し、他と交替されうるものであるが、國家は常にその自同性を保持し、國家特有の目的の持續發展並に完成を期するものであり、而して國家の目的は一時的存在たる個人の目的と區別されうるものであり、國家はその獨自の目的を遂行する爲に個人を利用しなければならないからと答へたい。この考へ方はカントの有名なる倫理學上の命題「人間性をば常に目的として使用し決して單に手段として使用せぬやう行爲せよ」を完全に顛倒せしめるものである。

なほ特に強調したきことは國家の存續發展は個人の生命を賭しての戰によつてのみ贏ち得られ、維持されるといふことである。國家とは自然的に存在し得る或物でなくして、國民の努力によつて得られる精神的實在である。何人でも手を拱いてゐて見屆け得るやうな自然的事象でなくして、國民の必死の努力によつて實現せらるべき目的であり、使命であることである。

ろ、皇國民の錬成

犧牲的精神を涵養する爲には、犧牲的精神の湧き出る根源に培はなければならない。かゝる根源こそ皇國民の錬成である、司法權が行政權より獨立せると同樣に、敎育權も亦行政權より獨立し、天皇に直屬すべしとは、前記前島昇氏の意見であつた。憲法第五十七條に司法權は天皇の名に於て法律により裁判所之を行ふとあることにより、裁判官が判決を下す場合に天皇の名に於て判決を下すと同樣に、敎育者は大和民族の子弟を敎育する場合には天皇の名に於て皇國民を錬成すべきでなからうか。獨逸人・英國人・支那人と共通な意味に於ての國民を作るのでもなく、世間の智識者を作るのでもなく、又善良なる世界人を育てるのでもなく、先づ第一に大日本帝國の皇威を發揚しうる皇國民を作るのでなければならない。世間の學者とか善良なる世界人の養成はその次に來るべき副次的目的に入るべきである。日本帝國の敎育は何よりも先づ第一に皇國民の敎育でなければならない。近時宣傳せらるゝ錬成も、禊その他の行事も畢竟は皇國民の錬成を目的とするものでなければならない。

は、政治に就ての教育

この問題につきては興亞教育論の著者關口泰氏の說に賛意を表する。アリストレスに於ては政治學と倫理學とは別物でなく、政治學は最高の善に關する研究であつた。儒教に於ては修身・齊家・治國平天下」が目標であつた。皇國民の錬成が次代の國家擔當者を作るものであるならば、具體的の國家目的と共に、國家擔當についての知識と意志とを與へなければならない。東亞新秩序の建設が叫ばれるとき、このことは特に必要である。

明治維新後の教育は、政治と教育とを隔離したものであつた。蓋し國民の政治的自覺、國家觀念等についてはまだ固まつてゐない所へ、フランス流の自由民權思想や、イギリス流の立憲精神が輸入された爲、之を教育界にも取入れることは弊害もあり、危險であつたので、未然にこれを禁壓したことは賢明なる策であつたに相違ない。しかしながら其結果は、教育界には天下を以て己れの任となす如き志操は失はれて萎微沈滯、所謂國士、志士は得られなくなり、政治界には道義心の支配が薄れて壯士風のものか、利權屋・政治家が跋扈するに到つた。

明治の教育が政治と教育とを隔離したとは反對に、昭和維新に伴ふ教育は政治と結合しなければならない。維新とか新秩序とかいふ場合には教育的なものが、先行しなければならない。明治維新に先行した教育的なるものに水戸學派や、松下村塾のあつたことは周知の通りである。といふとも教育者が政治の實際運動に直接携はることを慫慂するものでは斷じてない。

政治の教育に對する優位の主張は、兒童の創造的な力を生命のない規則に從はしめる事を意味するのではなくて、國民秩序の内に教育を組入れる事を意味するのである。政治とは國民秩序の再建を目指す指導者の行動である。そして各國民は指導者に對する忠誠の念を以て、各自の立場からその責任を以て指導者の行動に關與するのである。獨逸の國民社會主義の政治的教育學によれば、教師は政治的機關の指令をたゞ執行するだけのものではなくて、學校が指導者から受けた政治的委託を自分の責任を以て遂行する所の人が即ち教師なのであると。

第二　鬪志の涵養竝に戰爭罪惡觀の是正

い、生活と鬪爭

前述の將校から日本教育の改造につき聞き得た第二の點は戰爭の罪惡觀の是正といふことであつた。

學者の說によると世界の各所で發生する最初の目的團體は敵意ある外圍に對する共同保全の爲

の一民族、一種族、一部族の軍人達の結合であると。（ローセンベルグ著、吹田、上村共編二十世紀の神話　三八八頁）歐羅巴の都市を見ても、支那の都市を見ても廣大なる城壁を以て繞らされてゐることはその好例である、人間生きる限り周圍に敵を持つ。伊太利の思想家マッチーニが、伊太利の敵は富强を誇る他國民である。而して此の他國との闘爭が伊太利國民を訓練する第一の義務であつて、サンジカリストが總能業の準備に怠らないと同樣に伊太利國民も須らく他國民との闘爭に備へなければならないと說き闘爭心の養成を唱へてゐることは四面外敵に圍繞されてゐる伊太利としては尤もなことゝ思はれる。（外務省調査部編纂、ナチス及ファシストの國家觀六二頁參照）

闘志の涵養は世に生存競爭のある限り個人間に於ても必要なことであるが、國と國との關係に於て特に必要である。外交こそは骨を削る如き冷嚴極まるものであり、結局恃むべきものは自國のみであることを常に忘れてはならぬ。國と國との關係は於て闘志は戰爭の形で現はれる。

ろ、國際法乃至國際聯盟の妥當限界

國際法乃至國際聯盟の妥當は參加國が希望する限度内に於てあるのみである。從つて常に要請又は當爲の性質を有するに過ぎない。何故ならば爭の起つた場合、それを裁く審判官は居ないからである。カントは一七九五年に「永遠の平和」に於て、戰爭を避け永遠の平和を可能ならしめ

る爲には諸民族間の爭は仲裁々判所の設定によつて解決すべきであると建議したけれども、ヘーゲルはかゝる場合に於ての意見の一致を見ることは困難であると否定的態度を取つてゐる。蓋しヘーゲルによれば、諸國家は私人ではなくして完全に獨立した全體性であり、地上に於ける絶對的な力であり、各國はそれ〴〵他の國家に對しては主權上では獨立であるからである。(Hegel: Philosophie des Rechts. § 330-331參照)

國際平和會議の無力であることはヘーゲルの説を待つ迄もなく、宋の向戌の主唱せる弭兵の會以來既に試驗濟である。(春秋左傳襄公二十七年、皇紀一一五年)。

個人間に於て各人が敵として對立するか又は味方として結合しなければならないと同樣に、國も亦敵として對立するか又は味方として相提携しなければならない。國がその獨立を脅かされるや否や戰爭をなさなければならない。防衞の爲の戰爭は侵略の爲の戰爭になり易く、又戰爭に於ては國は存續するか、滅亡するかである。此處に同一鬪爭心にしても國內にあると國外に對するとによつて重大なる差異が生ずる。國內に於ては各自の生命財產保護の爲に鬪志の放縱は許されないが、國外に對する關係に於ては鬪志を充分に滿足させる爲には國民の生命財產を犧牲にすることを要求しなければならない。

は、戰爭の效能

戰爭に關し哲學者ヘーゲルはその效能を次のやうに列擧してゐる。

(1) 戰爭は特殊の理想性がその權力を保持し、實在となる所の契機であるが、戰爭はそれ以上に高等なる意味を有してゐる。卽ち

(2) 風の動きが海水の腐敗を防ぐと同樣に國民の硬化するのを防ぐ。

(3) 戰爭は勝てば國內の不安を除き、國內の國力を堅固にする。

(4) 國家の自立性の保證。國家の自立性の保證は、單に武裝された自分の力だけにあるものでなくして、他國を考慮し、その上になされた武裝力によるのである。(Philosophie des Rechts. §. 324. 參照)

なほヘーゲルは語を繼いで、國民は平和の時には單に膨張するのみ、且結局は人間の腐敗である。蓋し國民としての部分が硬化する、部分が硬化すれば死あるのみであるから。永遠の平和といふことが屢々理想として要求される。カントも前述の如く國家間の爭を止める爲の諸侯の同盟を建議した。神聖同盟も同樣の意圖を持つてゐた。けれども國家は個體である。個體の內には否定といふものが本質的に含まれてゐる。從つて假令一群の國家が同盟を結んでも、この同盟は又個體として他の同盟を惹起し新たなる敵を作らなければならない。國民は戰爭によつて啻に一層强くなるばかりではなく。平素互に不和なる諸國民は、外に向つての戰爭によつて內に於ける平和を獲得するのである。戰爭によつて不安といふものが生ずる。けれどもこの現實の不安こそは無くてならぬ運動に外ならない。人々は高座の上からは浮世のもの〻不確實性、虛僞、不安なることを聞かされる。けれども各人は其場合には專自分に關する場合には自分のものは永遠に保持したいと思ふであらう。若しこの不安が光つた劍を提げた騎兵の形で現實に目前に現はれて來るならば、先きの說敎師は征服者を呪ふであらう。にも拘らず戰爭は存在する、歷史の眞面目なる繰返の前には沈默あるのみ。(ヘーゲル、同上、追加)

ヘーゲルはこの事の執筆の數年前卽ち一八〇六年十月イエナに於て佛軍の「サーベル」に出遇つて僅かばかりの所有物の掠奪にあつた。けれども氏はその兵士を呪はないで友人に手紙を認

めた。自分は世界精神の馳行く樣を見たと。敵の掠奪に遇つたヘーゲルにして初めて地についた戰爭觀を說きうるものと思はれる。

なほ戰爭の效能に關しては村上啓作氏がその著戰爭要論に於て、淘汰作用と見た場合の戰爭の效能、智能、道德に及ぼす戰爭の作用等に亙り、古今の學說を引用、詳細に述べてあるから左にその大要を摘錄しよう。

a　戰爭の淘汰作用

フオン、シュテンゲル博士は、戰爭は民族の試金石であつて凡て腐敗せる者は滅ぼさると言ひ、某宗教家は戰爭は神が麥と穀殼とを吹き分ける爲に用ひる大なる唐箕であると述べた。

戰爭に於ては槪して劣弱者敗亡し、優强者勝存する。玆に民族の積極的淘汰が行はれる。好戰國民たりしスパルタ人は生理的に優越せる體格を有し、土耳古人の體格の强壯なるは其の戰鬪立國の結果である。凡戰爭の準備の爲に行はれる國民訓練は筋骨を鍛錬し體力を强健ならしめ規律、節制の敎養を與へる。

印度に於ける英人、マダガスカルに於ける佛人等の勝利は卽ち優等民族が戰爭に於て勝利を得る適者生存の理を示すものである。佛人マピイユの言へる「戰爭は弱者を省除し、性格を鞏固にし以て人種を改良す」との說は眞である。

b　戰爭の智能に及ぼす作用

戰爭は一般人民の智能を一時低下せしめるも偉人天才を生むは古今の歷史の證明する所である。特殊の天才特殊の智能は却てその光彩を發揮し、平時に於て見ることの出來ない程の發達を遂げ以て人文進步の動因となること少なくない。ペルシヤ戰爭は希臘文化を極度に發達せしめ、フイヒテ、シエリング、ヘーゲル等の理想哲學は精神力を最も緊張せしめたる解放戰爭に因りて發生したと云はれてゐる。古昔羅馬國にして若し攻略を行はざりしならば歐洲文化の發展に强大不朽の衝力を與ふることは不可能であつたであらうと傳へられてゐる。

ヴントは曰く第十九世紀は大戰爭の最も頻繁に行はれたる時代なるに拘らず人間の智能的活動最も盛んにして前代未聞の文明の進歩を見たことを忘れてはならないと。

c 戰爭の道德に及ぼす作用

キュルペ曰く戰爭は個人主義、利己主義、功利主義及び自然主義に對する有力なる說教者である。

モルトケ曰く戰爭無ければ世界は唯物主義に墮落する。戰爭は幾多重要なる社會的德義を醸成促進する。勇氣、義務觀念、犧牲心等は戰爭に由りて發達する。

ヴイヴェス曰く戰爭は和合の促進者であると。

d 村上啓作氏の說。

(1) 戰爭は民族精神を振起し個人的利己心を壓伏して義勇奉公の觀念及び義務心を喚起向上し、民族共同の利益の爲、個人の利益を犧牲たらしめる。第一次世界大戰前世人の多くは若し戰爭が起るならば佛國・露國には必然的に叛逆的賣國事件の起るべきを豫期し、英國は愛蘭問題の爲、到底擧國一致して起つことは出來ないものと考へてゐた。然るに事實は此の種の豫想を全然裏切つた。

(2) 戰爭は國民思想上に於ける病根を一掃し、墮落に瀕せる思想を矯正又は洗滌し新なる道德を發生する。獨逸の軍國主義、露國の官僚主義、英國の個人主義、功利主義、佛國の自由主義は過去に於ては夫々各民族の發展に貢獻する所あつたが年月の經過と共に他面にその弊を呈露し來るや世界大戰は一大鐵槌を與へ、各國民を刺戟して思想に新たなる方向を與へた。

(3) 戰爭は文弱、淫靡、享樂等の頹廢的風潮に鐵槌を加へ、人生の防腐劑、社會の洗滌作用を爲し、剛健なる氣風を作興し、人間の性格を鍛錬する。即ち精力、努力心、忍耐心、服從心、名譽心、勇氣等は戰爭に由りて增大せられ、東西武士道の發達亦戰爭に負ふ所頗る大である。

(4)　戰爭は交戰民族の嚴正なる裁判官にして其の正邪曲直に對し斷乎たる判決を與へる。スタインメツツ曰く戰勝は諸德の總和なりと。古代ローマは大なる勢力を有せしも不道義と悖德との爲に滅亡した。斯くして墮落者は淘汰せられ、又は敗者の反省奮起を促して之を復活せしめる。

戰爭は善なりや惡なりやに關し村上氏はイェエンスの戰爭讃美說を左の如く引用してゐる。

戰爭は往昔にても現今に於ても最も强き文明の進捗者なり。恐くは曾ては今よりも强かりしならん。而も今尙然り將來亦然るべし。但　戰爭の數は減ずべし而も決して滅絕すべからず。戰爭の絕滅は却て人文の障害たらん。夫れ戰爭は最も嚴正なる試驗證明なり。戰爭の判決は每に神の判決なり。生命を賭して始めて生命を得べし。

に、平和とその用意

永遠の平和は單なる理念にすぎない、完全には決して實現することの出來ぬものである。平和價値を最高と見るに到るのは人間が神に迄昇つた時以外にはない。

平和はそれ自身高等なる道德的價値である。平和を保障すること、それに對して最大の犧牲を拂ふといふことは常に人間の果すべき義務である。けれどもそれよりも一層高き價値を犧牲にするとか、その實現手段を斷念するとかいふことではない。前述のヘーゲル說によつて明かなる如く戰爭は單に國家の成立、存續に缺くことの出來ないばかりでなく、その發展にも缺くことの出來ないものである。

戰爭は單に自國の經濟力の發展の爲とか勢力伸張の爲にのみ起るものでなく、ヘーゲル流に云へば、世界史の根柢に存し、生命を産み出し、世界歴史を動かす創造的精神的力、一般精神、世界精神の業《ワル》と見うるのである。ヘーゲルのやうに世界に於ける理性支配を說き一般精神を說くことは既に先きに論じたやうに避くべきであらう。けれども一國の運命を賭しての戰爭に於ては常に一段高次の潜勢力が擡頭し、それによつて舊殼を蟬脫して新形態を取り人類一般の歴史の進展に一時期を劃しうることは確實である。

之を要するに戰爭は單に國家の成立、存續に缺くことが出來ないばかりでなく、更にその進展に、延いては世界史の進展に缺くべからざるものであるとするとき、戰爭は永久に世界歴史の內から消え去ることなく、否戰爭は獎勵すらさるべきものであらう。從つて鬪志の涵養こそ生存競爭としての永遠の戰爭の爲の最上の備へである。古代羅馬の諺に曰く Si vis pacem, para bellum（若し人平和を欲するならば戰爭の用意をせよ）と。佛遺教經に曰く、若レ鎧入レ陣則無レ所レ畏と。

なほ最後に一言すべきは武は才を止める意味を有することである。劍道の極意は人を切る事を目的とせず身を護ることを目的とする。我國の特技たる柔道は人を殺すことを目的とせず、敵を投ぐるか止むを得なければ一時息を止めてその間に自ら身を逃るゝ事を目的とすることである。

又平時に於ける武裝を强調するとも、それは文化的事業を閑却せよとの意味ではない。燦然たる文化が國家をその滅亡より救出し得なきことは希臘沒落の歴史乃至は北狄に亡されたる宋明の歴史が之を證明するも、文化的事業を閑却したる國民が案外早く凋落したることは土耳古人、蒙古人の歴史が之を明證してゐる。國家の圓滿なる發達の爲には文武併行なるべきを忘れてはならない。

第二　東亞新秩序擔當者としての必要なる諸要素

日本人の活動舞臺は日本の本土内に局限することを許されなくなり、外交官、貿易商ならずとも、軍人、行政官、敎育者等も北支、中支乃至は爪哇等に於て活動せざるを得なくなつた。かゝる情勢からして日本の敎育制度の機構上に於ても、東亞新秩序擔當者として必要なる諸要素を考慮に入れざるを得なくなつた。かゝるものとして次の諸點を列記しうるであらう。

い、大東亞經綸の氣魄

中支派遣軍參謀某氏は曰く、日本に於ては大陸についての敎育はない、爾今は下は小學校より上は大學に到る迄大東亞經綸に對する氣魄抱負を養ふべしと。

中支派遣軍部隊長某氏は曰く、積極進取の氣象を養つてほしいと。

興亞院華中連絡部第四局長森氏は曰く、役に立たぬ知識を積込むよりは男らしき人物を養成せよ。又曰く、從來は同じ型の人間をあまり多く作りすぎた。これは日本の爲によくない。個性教育、天才教育が必要である。更に又曰く、日本に於ては、人を使ふ人間を必要とする。東亞大陸に於ては特に必要であると。教科内容より云ふとき分科は不可である。總括し、大觀しうる能力を養ふべしと。

臨時政府教育部次長、方宗鰲氏は曰く、東洋平和の爲に盡すやうに第二世を教育してほしいと。序説に於て既に述べた如く、東亞共榮圏といふ一つの新たなる有機的廣域圏内に於ける日本人の地位は、單なる聯合の一員としてゞなく、樞軸者としての一員であるが故に樞軸者としての名實共に權威を有するものでなければならない。その爲には東亞經綸に關する氣魄、抱負を有しなければならない。單に他の民族の爲になることを爲すといふだけでは足らない。東亞諸民族を眞に生かすの道は日本人が指導者となり、諸民族を有機體中の一肢として東洋特有の課題を果すといふことでなければならない。ニーチエが權力意志の第五七四節に於て、「高等なる種屬の課題はコントの爲せる如く、低き種屬の指導にあるのでなくして、低きもののみ土臺として、それに基いて高きもの特有の課題を果すにある。」と述べてゐることは他山の石として學ぶべきことでなからうか。

先年亡くなられた前獨逸皇帝ウイルヘルム二世は一八九〇年プロシャ教育會議に於て教育者に對して峻烈骨を刺すやうな警句を發せられてゐるが、その中に、獨逸人には大切な「開拓者の精神」が缺けてゐる。人々は官吏としての立身出世の正規の道へ安全に昇つて行かうとは望んでゐるが、獨逸の爲にその國際政治、竝に世界經濟上の新しい立場に適應すべき道德的――政治的征服の道を進まうとは思はないと叱正されてゐるが誠に卓見と云はなければならない。（シュプランガー著、小塚新一郎譯、現代文化と國民敎育、八七―八頁參照）

之を要するに東亞新秩序擔當者としての第一要件は日本人各自が東亞經綸に關する遠大なる抱負、雄渾なる氣魄を有して東亞十一億の金色人種の棟梁となること、恰も往昔アテネの市民が自己に數倍する他國人の棟梁であつたと同樣でなければならない。これ迄十人の長であつた人は今後は百人の長に、百人の長であつた人は千人の長になつて活動するだけの覺悟がなくてはならない。

ろ　他國人との折衝術

多年支那にあり、彼地の事情に通せらるゝ東亞同文書院大學長大内暢三氏は敎へて曰へ、日本人は他國人との折衝の素地を作るべし。日本人は日本人本位にて他を顧みない。社會的に訓練が足らぬ。

興亞院華中連絡部の前記局長森氏は曰く、日本人は從來、外地の問題を考へる必要はなかつた。從つて鍛へられる機會もなかつた。けれども今後はこの點に一層の注意を拂はなければならない。別して支那人との折衝に於て注意すべきは、日本人は直線で行くに反し、彼等は曲線で行くことであると。

大內、森兩氏共に日本人の外國人に對する折衝術修練の必要を說かれてゐる。自分はかゝる折衝術修練の前提として心得べき一二の事項あるやうに思ふ。

a　排日、抗日發生の原因と支那人觀の是正

支那人に對し排日を廢めよといふと、支那人は我々を侮辱することを止めてくれといふ。

抑々排日、抗日の種を誰が蒔いたのであらうか。或人は甚だ穿つた說をなして曰く、親日排日は外交官と新聞で作つたものである。何故ならば任官した大官が新聞で排日家と評されると、排日家でなくても、ではやらうかといふ氣になる。親日家と批評されると親日では賣國奴となる。賣國奴では身が立たぬので最初はその氣はなくとも後には日本に對し強硬な態度を取ることゝなると。このやうなことも無論無いことはないであらう。けれども現在排日、抗日の陣頭に立つものは日露戰爭直後、多數打連れて來た留日學生でなからうか。人間は得意のときによく失敗をする。日露戰爭に勝つた日本人は、憧れを以て來た支那青年に對し失望せしめることはなかつた

か。周圍の人々の彼等に對する態度は如何なりしか。昭和十五年三月十五日前述の方宗鰲氏を訪ねた際、日本人側に於ての教育上の意見を尋ねた所「日本人は優越感を持つてゐられたが今はなくなつた。日本の上の方の方は支那人を理解してゐられるが、下の方の方は理解してゐられないやうである。我々支那人について理解してほしい」と。

右に類した言葉は隨所に聞くのであつた。しかもそれは單に支那人側からのみでなく、第一線にて活動さるゝ内地人の側からも屢々聞いたのであつた。

大多數の日本人に映ずる支那人とは日清、日露戰爭當時の支那人、所謂チャンコロと呼ばれるものである。しかしかゝるチャンコロと稱する概念は廢棄し、且、日清、日露の戰爭當時とは異つた現在の支那、並に支那人を知らしむべしとは一般の通説のやうである。

支那人には個人としては實に立派な人が多い。又事務を取らして見ても、規則などを作らして見ても實に見上げるべき人が多い。殊に策略にかけては日本人より數段上である。支那民族を劣等視することを廢めて、尊敬するやう奬勵すべきである。一切衆生悉有佛性とはかゝる場合に採るべき人間觀察法ではなからうか。

（ロ）　日支文野の隔り

ヘーゲルは牧畜民族は狩獵民族を野蠻人と見做し、農耕者は、狩獵、牧畜兩民族を野蠻人と見倣し云々と述べてゐるが、かゝる又は之に類した意味に於て日支間に文明野蠻の隔たりがあるであらうか。この判定は可なり六箇敷しい問題である。ほんの瞥見ではあるが、支那の文化史蹟の一斑を見聞したものに取つては、隔りありとは思へぬ。例へば大同市南華嚴寺經藏内に安置せられたる諸佛像の藝術美と我國飛鳥、奈良朝時代のそれとを比較對照するとき、又洞庭湖畔に屹立する岳陽樓の建築美と金閣寺のそれとを比較するとき、誰が我は優りて彼は劣れりと斷定しうるであらう。これはほんの一例にすぎない。精神的にも物質的にも隔りがないやうに思はれる。精神的にも物質的にも日本が優れてゐないとすれば支那人より尊敬の念を持たれず、從つて彼等が心服する筈がない。日本は物質文化は進むも文化の先人は西洋だとの感は支那人に深い。日本人は精神的にも物質的にも優秀性を缺く、日本人は癇癪玉を持つてゐる、これに觸れると恐しいので觸れぬだけであるといふのが支那人共通の日本人觀のやうである。

日本人は日本人本位で他を顧みぬ癖がある。又日本人は道義心が缺けてゐると。一言にして日本民族には社會的に訓練が足らない。

日本人は今戰爭には勝ちつゝあるも、全局の成算は未だし。この點では勝敗は未知數である。

日支兩民族の優劣に關しなほ考慮すべきことは漢民族は他より征服されて、しかも他を征服する民族であることとである。

北京大學秘書長錢稲孫氏を訪ね、日本人教育について尋ねた時、氏は曰く、日本人は忠といふ點は優れてゐるが恕の點が足りないと。

新國民政府教育部長趙正平氏に會つた際、日本教育について支那側の要求を訊したる所氏の意見は次の如くであつた。

c　恕、敬、眞情

老子、孔子の眞精神を宣揚すれば人と人とは相和する。人權を尊重することである。ルソーは面目を立てた。孔子は面目を説かなきも相手を尊重した。老子も人を尊重した。孟子は他人の惡口を云つたが孔子は云はなかつた。自分は低きに立つといふ處世觀を持ち且實行して來た。人は水の如く低き方へ行く。これが人を成功さす。人を成功さすことはやがて自分を成功さす所以である。

相互扶助の精神あれば日支は極親密になると。

自分は趙正平氏より氏の著書「老子研究與政治」を寄贈されたのであつたが、それによれば道德經は獨り東方思想會の秘寶たるのみならず、亦中國復興の神燈であると。その説に曰く、道德經は積極的にして消極的ならず、眞實にして矯僞ならず、政治の敎にして修養の敎ならず、道德經の第一の主旨は化育、第二は息爭、第三は無私、先公、第四、無欲、第五は靜と無爲、第六卽ち最後の主旨は謙身、虚無、柔弱なりと。

自分は更に昭和十六年五月、氏の執筆した論文「教育上中日親善的基本精神」の掲載されたる雜誌、現代公論、第二卷、第四期、新年特大號を贈られたのであつたが、それにも矢張中日親善の基本精神は他を尊重することであると强調してゐる。例へば孔子の句、「躬自厚而薄責於人」「己所不欲勿施於人」「攻其惡無攻人之惡」孟子の句、「愛人者人恒愛之」「敬人者人恒敬之」等の句を引用して他を尊重する所以はやがて自己を尊重せしむる所以の傍證としてゐる。

之を要するに東亞共榮諸民族に對しては御互に恕であり、或は敬を以て臨み、更に徹底的には眞情を以て接することである。

大和民族が他に對し眞情を以て接した好典型は、滿洲國皇帝陛下第一回御訪日の際、畏くも天皇陛下を初め奉り皇太后陛下、秩父宮殿下の滿洲國皇帝陛下に對し示されたまひし御態度であり、(拙著、鮮滿の興亞敎育、一六九—一八〇頁參照)この態度こそは東亞共榮圈内爾餘の諸國民に對して一億臣民の則とるべき範であるであらう。

國語學者によれば大和言葉「をしふ」の語原「をし」は愛の意であり顯著の例は「をしどり」とは雌雄相愛すること最も顯著なる故に斯くよぶと。敎育者は特にこの「をし」の意を他民族に對して惜しみなく發揮すべきであらう。

は、大陸その他の共榮圈に於て活動する人の爲の注意事項

先きに述べた諸要素の外に、更に支那大陸その他の共榮圈に於て活動するものにはその土地の言語の學習が必要であるとか、身體の特別丈夫なことが必要であるとかといふことの外に更に次の諸條件が必要であるとは現地に活動せらるゝ諸氏の語られた切實なる要求であつた。

a　現地へ來て見ると食違ひと、幻滅に遇いて悲哀を感じ、返りたき心地する。大陸にて活動せんとする人は親子の緣を切つて來る人、現地人に骨を拾つて貰ふ覺悟の出來た人でありたい。

b　支那を初め爾餘の共榮圈内の大衆は極めて簡易な生活にて過ごしうる長所を有してゐる。これと對抗して行く爲には文明生活に慣れたものは駄目、野生を帶びた人であるを要すと。

c　精神的に云つても淸濁併せ呑む腹の太い、見解の大なる人物を必要とする。日本人の潔癖は支那人を容れぬ。校長が校金を着服することを氣にしてゐては大陸にては校長は得られない。

d　1+1=2なる理性の人は駄目である。1+1=5なる底の人がほしいと。蓋しこれは獨逸のヒットラー青年團長シーラッハが常時高唱する情熱の教育に相當するものである。理性の人は打算的であるが、情熱の人は義務の爲に働くのである。

e　大陸に派遣されたる人は眞面目なる人、又善い人物でありたい。嘗て日本人にして支那人盜賊の下僕となりて働きたるものあり。かゝる人間にては困る。（上海に大盜難あり。盜まれた

金額と略ぼ同額の金子を所持せる怪支那人を蘇州にて逮捕す。それに連絡係として一日本人附添ひ容易に離れず。よく調べたる所。支那人盗賊の下働きなりきと。)

f 支那人觀の是正に就いては既に先きに述べたことであるが、このことは大陸に於て活動する人に取つては特に必要である。上海特別市督辨、蘇錫文氏曰く、日本人は支那にゐる間は優越感を取除いてほしい。支那にゐる間は、内心は兎も角、日本人である事を忘れ、支那人であつてほしいと。

g 彼地にあつて日本人同志が互に缺點を探さうとする。足並を揃へることが必要であると。このことは日本人が屢々陷り且敵に乘せらるゝ最も危險なるものであると。

第四 國家的指導理念と超國家的指導理念

國家が眞に國家として單に自國民を歸趨せしめるに足るのみならず、更に東亞共榮圈中樞國として隣接の他國民をも進んで共榮圈に協力せしめうる爲には、その指導理念は單に自國内に於て妥當するのみならず、隣接の他國民にも妥當するもの、即ち超國家的のものでなければならない。超國家的のもの、即ち世界性のものは政治的乃至經濟的のものであつてはならない。何故ならば、かゝるものは永續性がないから。永續性がある爲にはそれは倫理性乃至宗教性のものでなければならない。我等東亞民族に取りては前述の道統の顯彰こそこれに該當しないであらうか。前述のカリ・ダス・カプール氏は日本教育と題する著書の末尾に日本人に對し苦言を呈し政治上竝に經濟上の征服に恒久性のないことを指摘した後に、偉大なる大和民族は、より高等なる、より永續的なる征服、例へば古代のアソカ王が正法弘通の爲に達磨を支那に派遣したやうな種類の文化的征服を企圖したらばどうか。大和民族の不屈不撓の力をば亞細亞民族の文化活動の爲に向け、自ら範を示して亞細亞民族自らなせる羈絆より脫せしめては如何か。かくすることによつて初めて大亞細亞民族同盟の盟主として各民族をして各々その天職を完からしめることを得るに到るであらうと。以て他山の石となすべきか。（第三節　未完）（昭和十八年八月末脫稿）

社會的場と人格（完）

——力學的立場よりみたる——

福島重一

目次

七、傳統と人格

一

われわれは先にひとの事物に對し世間に對する態度は、ひとのよつて立つ立場によつてきめられること、さうしてこのひとの據りどころとする場は、生物學的心理學的な場ではなく、社會的場に外ならないであらうといふことから、ひとの自然に對し世間に對する態度はその動的形態たる協働體の焦點に自らをおくことによつて、或る内的必然性をもつてきめられることを述べたがそこにはもつと嚴密に考へてみなければならぬ幾多の問題が殘つてゐる。といふのはそれはひとの態度をきめる一つの重要な要因には違ひないが、具體的現實的なひとの態度はたゞそれだけによつてきめられるものではなく、他の幾多の要因がその決定に關係する事は明かなことであるがためである。從つて私はこゝに具體的現實に立歸つてこの問題を考察してみたいと思ふ。われわれはこの問題をつきつめて考へて行くとき、傳統の問題に就て一層深い洞察を得ることが出來るであらう。

一體生物學的場に於ては、その場に生起する凡てのことは、それが生活主體にとつて意味をもつてゐる限りに於て、場の中心を占めてゐる生活主體に迫り來つて、主體の反應を呼びおこす。この主體と對象との力學的な緊張關係に因つて主體の對象に對する態度はきめられるのである。丁度それと同じやうに社會的場に於ても、場に屬する凡ての成員の行動は、主體にとつて意味ある限りに於て、主體に對して受容れることを迫るものである。他者によつてなされる行動は、主體の容認を迫る運動としての性格をもつてゐる限りに於て、ひとは他者と人格的交渉をもつことが出來る。從つてわれわれの人格的態度は、この容認を迫る他者の行動によつてきめられるのである。

ケーラーはその形態心理學に於て、われわれの態度が現前の事態に基くものであり、その直接の結果としてわれわれに知られるものであることを色々な實例をもつて巧みに示してゐる。しかしそれは生物學的心理學的態度についてのみ言はれることではなく、社會的場に於けるわれわれの他者に對する態度についても、それに劣らず明白に經驗せられてゐることである。私は他者の私に對する態度なり行動なりが、私の他者に對する態度の自然的な根據だと感ずる。この場合ただ異つてゐるのは、それは生物學的心理學的場に於ける態度ではなくて、社會的場に於ける態度として、常に他者の容認を迫る態度として、私の態度を正當づける社會的根據として感ぜられるといふ事である。

或人に對する私の態度は、そのひとの私に對する態度、或は振舞によつてきめられる。そのひとが私ににくらしいのは、そのひとが私につきかゝつて來るからである。或は私の陰口を何處かで言つてゐたといふことが私の耳に込入つたからである。私は自分のそのひとに對する態度をそのせいにする。しかし私はたゞそこに私をしてさういふ態度をとらしめた自然的根據を感ずるだけではなくて、私の態度を正當づける社會的根據を見付けるのである。さうした態度を相手が私に對してとる以上、私はかういふ態度を採らざるを得ないのだといふ自己主張の根據とするのである。又われわれが例へば或子供を可愛らしいと思ふ時は自然にやさしい言葉が出てくるものであり、又よし言葉に出なくても自然にそれが態度に現れるものであるが、かうした場合には私の態度の自然的根據が示されてゐるだけのやうにも思はれるが、それはさうした態度が社會的に是認された態度であるがため、ひとは自分の態度を正當づける必要がないから、誰もその社會的根據を探さうとしないだけである。ところがそれがために何かの過ちを仕出かしたやうな場合には、あまり可愛らしかつたのでついあゝいふことになつたのだとその行爲を正當づける根據をそこに見付けるのである。このやうにひとは自分の他者に對する態度を、他者の態度や行動に基くものとして經驗するだけではなく、その態度を正當化する根據をそこに求めるのである。

私が或時どうしてあのやうな態度を或友人に對してとり、他の友人に對してはそれと違つた態度をとつたのであるかといふことは、自分にはわかつてゐる氣がする。それはそれらの友が常々私に對してとつてゐる態度に因るのだと信じてゐる。それは他者の態度に對する適應せる態度として、直接にその結果だと感ぜられてゐるだけではなく、當然の態度だと信じてゐる。

勿論私の他者に對する態度が、他者の態度に基くものではなくて、私自身の態度によると思はれることもある。例へば私が同情したのは私が同情深いからであり、又私が相手を怒るのは私がいら〳〵してゐたがためである。われわれにはかう思はれることも事實ある。

然しさうした場合には私は自分の態度を正當づける社會的根據を缺いてゐる事を感ずる。それが社會的に是認されてゐるやうな態度であり行動であるやうな場合にはそれでよいが、社會的に非難されるやうな行動である場合には、私はさうした場合辯解の餘地がないわけである。從つて嚴密には私の他者に對する態度は他者にのみ因るとは考へられないが、私の態度が人格的態度として正當なる態度として主張され得る爲には、社會的な根據がなければならぬ。しかし私は自分の態度を相手のせいにだけ歸する事は出來ない。喧嘩するのは兩方が惡いからである。單に相手の態度がこちらの態度をきめるだけではなく、こちらの態度が相手の態度をきめるからである。私の相手に對する態度は、相手の態度によつてきめられるが、私に對する相手の態度は私が招いたものとも見られるからである。從つて私の他者に對する態度は私と他者との力學的緊張關係に基くものであつて、その一方の極にのみ基くものではないと言はなければならぬ。このことは次のやうな場合に就て考へればはつきりとわかるであらう。

何かの事に就て私が友人と論爭してゐるとする。さうして私が相手の主張に對して反駁しようとするとする。この場合私は自分の主張が相手の感じられた抵抗に向つて方向づけられてゐるのを感じ乍ら、相手を同じ方向へ壓しつけてゐるのを感ずる。同樣に相手が私の主張を論破する時、私はたじろぎ始め、相手に壓しつけられるのを感ずる。それに對して私はそれをはねのけようとする衝動を感ずる。さうしてこの努力を相手の壓力の直接の結果だと感ずる。だから私は相手が十分に自分の主張を納得したと思ふと、緊張からほぐされた感じを持つのである。さうしてそれを相手と意見の合致した結果であると信ずる。ところが相手が頑固に自說を固持して一歩も退かない時、いくら言つても駄目だと思つて主張するのをあきらめ、議論を中止するか、或は一層猛烈に自說を主張するのであるが、かうした私の態度は相手の抵抗に於ける變化の直接の結果として感ぜられるのである。このやうにわれわれは自分の他者に對する態度が他者との力學的緊張關係に基くものであり、その直接の結果であると感じてゐる。われわれは事實自分の他者に對する態度を他者との力學的緊張關係に基いてゐると信じてゐる。だからわれわれはどうしてあの時ああいふ態度を採つたかと反省する時、その根據をその時の他者との力學的緊張關係に求めるのである。しかしわれわれはそこに私の態度の自然的根據があると感ずるだけではなく自分の態度を正當づける社會的根據を見付けるのである。私の態度を正當づける社會的根據を私がそこに見付けるのは、私の相手に對してなした態度が、よし當の相手に對して採られた態度であつても、私の態度は他の人達にも差向けられた態度であるからである。辯解は當の相手に對してよりは第三者に向けられてなされるのである。このことは私の相手に對する態度がたゞ單に他者との力學的緊張關係だけによつてきめられるものでない事を示すものでなければならぬ。從つてひとの態度は對立するたゞ二つの要素間の關係によつてゞはなく、そこに於て人格的交渉がなされる社會的場の條件によつて制約されるのであると言はねばならぬ。

前の論文に於て精しく述べたやうに、社會的場に於てなされるひとの行動はすべて場に屬する他の成員に對して受容れることを迫る運動としての性格をもつてゐる。從つて社會的場に於て私の特定の相手に對してとる態度は、その相手に對してだけではなく、他の成員に對して容認を迫るものとして、他の成員にも差向けられた態度とみられる。だからひとはそれが直接に自分に向けられたものでなくても、他人事として放任するわけにはゆかないのである。それは特定の社會的場に屬する成員として是認さるべき態度であるかどうかといふ見地から評價される。從つてわわれわれの態度は必然的に社會的に制約され拘束されてゐる。これはたゞ單にわれわれの他者に對する態度だけに就ていはれる事ではない。われわれの事物に對する態度にしても同じことである。そこにはわれわれの態度に對する社會的場の指力線の拘束がある。

このやうに私の相手に對する態度は、直接的な仕方で社會的場の力學的條件によつてきめられてゐる。といふのは、私の相手に對する態度には私の世間に對する態度が含まれてゐるからであり、ひとは他の成員によつて容認されるやうな態度を必然的にとらうとするのであらうからである。然し私の態度が社會的場の力學的條件によつて直接的にきめられるといつても、現實的に私の態度をきめるものは、私に呼びかける他者である。他者は特定の社會的場に屬する成員として私に呼びかけるのであり、相互に相手を特定の社會的場に屬する成員として認め認められる事によつて、場の指力線による行動の拘束が生ずるのである。といふのは、特定の場に屬する成員としての相互承認は社會的場の合成ヴエクトルに對する相互承認であり、自らを社會的に方向づけられた者として相互に承認することに外ならぬからである。

だから他者が私の態度をきめるといつても、私の態度が他者との抽象的な力學的緊張關係に因つてきめられるのではなく、特定の社會的場に屬する成員としての相互承認に基く力學的緊張關係に因つてきめられるのであるといはなければならぬ。從つて必然的に社會的場に於ける相互の位置に相應せる態度が採られるのである。同じ場に屬する成員として相互に承認しあふといふことは、相互の社會的位置に就ての承認が含まれてゐるからである。勿論かうしたひとの社會的場に於ける位置は、決して個人の人格力だけできまるものではなく、全體的場に於けるひとの屬する部分的集團の位置によつて制約されてゐる。といふのはひとの全體的な社會的場に於ける位置はひとの住む部分的集團の全體的な社會的場に於ける位置によつて定まるものであるからである。このやうにわれわれの他者に對する態度は、われわれが住んでゐる部分的集團の全體の場に於ける位置によつて制約されることは、われわれが自分の邂逅する他者が誰であるかによつて、言ひかへれば、全體的場の如何なる部分に相手が屬するひとであるかによつて、自分の態度を變へることからも知られる。相手が勞働者であるか、商人であるか、醫者であるかによつて、われわれはそれに相應する態度を採る。さうしてそこには自らなる人格に對する評價が含まれてゐる。ひとは輕はずみにも、勞働者には珍らしいひとであるとか、商人には見られない人物だとか、これをほめ言葉として用ゐさへするではないか。われわれが現實の國民なる場に屬する者として、又その部分をなす特定の集團に屬する者として、振舞ふ限りに於て、事物の必然性によつて、さういふ態度が採られるのである。これ私が現實的に邂逅する他者は特定の個人であつても、彼の背後には彼を支持してゐる多くのひと達がひかへてゐて、彼はかうした背後の人達の力を代表するものとして私に對して立つてゐるのであるからであり、同樣に私もまた私の態度を支持する多くのひとたちを背後にもつてゐるからである。從つて他者との力學的緊張關係によつて態度がきめられるといふことの中には、全體の場の部分をなす集團と集團との力學的緊張關係によつて態度がきめられるといふことが含まれてゐる。とはいへ集團そのものは口を持たぬ。集團の主張は現實的にはその焦點に自らを置くことによつて自らを主張する成員によつてなされるのである。それによつての外は集團は自らを他の集團に對して主張することは出來ないからである。このやうにわれわれは他者との對立せる力學的緊張關係に於て、特定の協働體を代表するものとして立つのであるから、その特殊な部分的場は最早やわれわれを拘束するどころではなく、われわれの主張を支持する土臺となるのである。これひとが他者との緊張せる力學的關係に於て特定の部分的社會的場の焦點に自らを置かしめられる所以である。それも他者の壓力をはねのけようとして特定の足場を探すのではなく、全體の場に屬する成員としての相互の承認のうちには必然的に相互に特定の部分的場に屬するものとして自らの態度をきめるといふことが含まれてゐるのである。

このやうに私に容認を迫る他者が誰であるかによつてそれにふさはしい態度が採られるのは、相互に自らの位置に對する承認を要求する力學的緊張關係に於て、社會的場の力學條件を行動を以て承認するからである。だから態度は必然的に社會的場の力學的條件によつて拘束されるのである。

二

ひとの他者に對する態度は他者との具體的現實的な力學的緊張關係によつてきめられるものとして無限に多樣なものであるが、現實的交涉は常に私どもがともに屬するところの國民なる場に於ける相互の位置の承認の下に於て始めてなされるのであるといふことからわれわれは、國民なる場の部分をなす協働體を代表するものとして相會すること　言ひかへればひとは自らの屬する部分協働體の焦點に自らを置くことによつて、特定の態度が採られるのであることを述べたが、この相互の位置の承認は、言はゞ人格的交涉を可能ならしめる地盤の相互承認に外ならぬ。ところが現實的にはひとが他者と相會するのは、特定の事柄に就て或ることを主張し、要求し、相互に他者の容認を迫ることによつてである。人格的交涉が可能なるためには、交涉を媒介する對象がなければならぬ。

ひとは特定の對象を媒介として他者と相會するのであるから、ひとの態度はこの交涉を媒介する對象によつてきめられることはいふ迄もない。しかしこの對象に對するひとの態度は現實的交涉に於いてある特定の他者に對する態度であるだけではなく、世間にさしむけられた態度として生物學的心理學的態度ではなく、人格的態度である。それは特定の事柄に就て他者の容認を迫る態度に外ならぬ。勿論ひとのかうした特定の對象に對する態度も、そのひとの屬する部分的集團の傳統によつて制約されるといふ意味に於て、部分的集團の傳統を自らの據り處とするといふ意味に於て、ひとの態度はその屬する協働體の焦點に自らを置くことによつてきめられるといつても差支へないやうにも思はれるが、然し文化的傳統は常に必ずしも、部分的集團の範圍だけに擴がつてゐるものではなく、それはいはゞ沈澱せられた文化運動として部分的集團の範圍を越えて擴がつてゐることも屢々ある。ひとの立場、態度の問題に伴ふ困難な問題は、ひとが他者との力學的緊張關係に於てとる態度が國民なる場の部分をなす協働體の焦點に自らを置くことによつてのみきめられるものではなく、國民なる場の境を越えて擴がつてゐる第二次的協働體——傳統も一種のかゝる協働體とみなされる——の焦點に自らを置くことによつて態度がきめられるといふことが單に可能なだけではなく、それが文化の生成にとつて非常に重要な意味をもつてゐる點にある。といふのは、かうした第二次的協働體の焦點に自らを置くことによつてとられる態度は、その追及する特殊目標の見地から態度がきめられるのであるから、その見地に立つて一切の事態を評價することを可能ならしめ、國民なる場の力學的條件によつて制約されながらも、それを破るやうな性格を持つてゐるからである。このことは單に國民なる場を越えて擴つてゐる、たとへば教會のやうな第二次的協働體についてのみ言はれることではなく、凡て國民なる場の境を越えて展開される文化的運動に就ても言へることである。これらの運動は國民なる場に生起する運動として國民なる場の指力線によつて拘束されるが、それは世界に於ける運動として人類的性格を有し、國民なる場の偏狹を破る力をもつてゐる。實にこの故にひとは國民なる場に生起する運動に關與することによつてのみ、世界の動き人類の歴史の方向の決定に關與することが出來るのである。

一體われわれが協働體なる概念の下に理解して來たことは、ひとが他者との力學的緊張關係に於て、他者の運動を受容れることによつてヴェクトルが合成せられる限りに於て、そこにひとびとの共通の目標に對する協働が生ずるといふ事實に外ならぬ。從つて、それは恒常的な協働體だけを指すのではなく、特定の運動の展開する時、運動に關與するすべてのひと達によつて構成される一時的な協働體をも意味するのである。從つて、立場の問題もかうした廣い意味に於ける協働體の見地から理解されなければならぬ。といふのは、ひとの採り得る立場は決して特定の恒常的な協働體の立場のみでないことは明かであり、たとへば科學的立場は決して科學協會の立場ではなく、科學的傳統に基く立場であり、宗敎的立場も必ずしも特定の宗敎的集團の立場ではなく、特定の宗敎的傳統の立場をも指すものに外ならぬことは明かであるからである。勿論立場は現實的には特定の目標を追求する特定の恒常的な協働體の立場であることもあるが、ひとのとり得る立場は、それに限られたものではなく、現實的に社會的場に於て展開しつゝある運動そのものも又われわれの態度をきめる重要な社會的地盤となるのである。從つてひとの態度が協働體の焦點に自らを置くことによつてきめられるとの命題は、協働體をわれわれが始めに定義したやうな廣い意味に解しなければならぬ。

ひとが他者との力學的緊張關係に於てとる態度は國民なる場の部分をなす協働體の焦點に自らを置くことによつてとられるのみではなく、一時的或は恒常的な第二次的協働體の焦點に自らを置くことによつてとられるのである。ところがひとがかうした第二次的協働體の焦點に自らを置くとき、ひとはその協働體の追求する特殊目標の見地から一切を評價しようとする。だがひとびとが他者との力學的緊張關係に於て、それぐ\特殊目標を追求する第二次的協働體の立場に立つて一切を評價しようとするとき、如何なる事態が生ずるであらうか。

一體或る特殊目標を追及する第二次的協働體の主張がこれと異なる他の特殊目標を追及する第二次的協働體によつて受容れられるのは、前者が後者に仕へる限りに於てゞある。他の協働體の主張は、その目標追求に役立つ限りに於て承認される。從つてひとがもし特殊目標を追求する或る協働體だけに屬するものであるとすれば、ひとは自らの屬する協働體の利益のために、或は便宜のために他の協働體に屬するひとゝ交渉するだけであらう。このことはひとが或特定の第二次的協働體の立場だけを守つて、他者と交渉する場合にしても同じことである。從つて各々の協働體は、他の協働體によつてなされる運動が、自らの目標追求に役立つ限りに於て、或はそれを阻止する限りに於て、それと交渉を持つことゝなる。だから或特定の協働體の立場に立つ限りに於て他の協働體によつてなされる凡てのことは單なる方便としての意味しかもたぬことゝなる。しかもひとが特殊目標を追求する協働體の立場に立つ限りに於て、必然的にさうした態度をとることになるのである。一體或る立場に立つといふことは或特定の角度から、事物を眺め、世間を評價することである。それは丁度或特定の方向からさしこんで來る光が、その場に於ける凡ての事物を照し出すやうなものである。この光と影との配置によつて、それら事物の價値がきめられる。だからこの場合、社會的場そのものが特殊目標を追求するその協働體そのものゝ靜的形態となつてしまふ。言ひかへれば、他の凡ての協働體は、この協働體の追求する目標を追求するものであるかのやうに見做される。例へば今假りにひとが宗敎的協働體の立場に立つとすれば、政治的運動も、藝術的運動も、科學的運動も、又經濟的運動も、凡て宗敎的運動とみなされることになる。即他の凡ての協働體のヴェクトルは宗敎的協働體のヴェクトルに、飜譯される事となり、社會的場に生起する凡ての出來事は宗敎的出來事とみなされ、特殊な宗敎的立場から評價され、特定の意味と價値とが與へられることゝなる。しかし乍らこのやうに社會的場が宗教的色彩をもつてぬりつぶされると共に、宗教的協働體そのものは、そこに於て種々の運動の生起する場となつて、他の協働體と對立する意味を喪失してしまふ。それは宗教的傳統の支配する社會的場ではあるが、もはや合成ヴェクトルを以て、他の特殊目標を追求する協働體に對して働きかける協働體ではなくなる。それはそこに生起する運動を拘束する指力線の支配する場となり、世界となつて、協働體としての動的性格を失つてしまふのである。このことは他の凡ての特殊目標を追求する第二次的協働體に就ても言へる。

もし上に述べたことが、眞實であるとするならば、特殊目標を追求する第二次的協働體は如何にして他の協働體と交渉することが出來るのであらうか。ひとはどうして特殊目標を追求する第二次的協働體の立場に立つて、しかも他の特殊目標を追求する協働體に屬する他者と交渉することが出來るのであらうか。

一體それぞれの協働體が特殊目標の追及を目指す人達の力のヴェクトルの和の方向に向つて進むことが出來るのは、言ひかへればそれら人達の人格力、卽ヴェクトルが合成せられ得るのは、それらのヴェクトルが一つの同じ性質をもつてゐるからである。それらの人達がたとへば、經濟的目標を追求する者であればこそ、經濟的協働體を構成することが出來たのであり、政治的目標を追求するものであればこそ、政黨の一員となる事も出來たのである。ところが今こゝに問題となつてゐるのは、一見異質的なヴェクトルの合成である、それぞれ異つた目標、經濟的目標とか、政治的目標とか、或は宗敎的目標とか、更に軍事的目標とか、全く性質を異にする目標を追求する協働體のヴェクトルがどうして合成せられるかである。ヴェクトルの和といふ概念はそれらヴェクトルの同一性質であることを豫想する。では、たとへば宗敎的協働體のヴェクトルと軍事的協働體のヴェクトルとは如何にして合成せられるのであらうか。言ひかへれば、それら協働體は如何にして相互に交渉し、相互に他の協働體に對して影響を與へることが出來るのであらうか。この場合われわれをしてこの問題に應へしめるものは、たゞそれら第二次的協働體が等しく一つの同じ社會的場に生起する運動であるといふことだけである。それが一つの社會的場に生起する運動である限りに於て、又それらのヴェクトルが同じ性質のものである限りに於て、言ひかへればそれら協働體が或る特定の共通目標を目指すものである限りに於て、それら協働體はそこで相會することが出來る。われわれはこの共通目標が如何なるものであるかに就て尋ねる前に、先づ現實に於て、われわれの社會生活に於て、政治運動が宗敎運動に、又軍事運動が藝術運動に無關係になされ得ないといふ事實を注意しよう。こゝに無關係にとは、相互に影響することなしにといふ意味である。現實に於ては、思想運動は政治運動と關係を有し、宗敎運動は經濟運動と關係を持つてゐて、それら凡ての運動は現實に於ては相互に影響しあつてゐることは確實である。從つてもしこのことが爭ひ得ない事實であるとするならば、さうして運動はそれが如何なる種類の運動であつても、他者の容認を迫るといふ性質を持つてゐるとすれば、それら運動相互の影響の仕方も、相互に他の運動を拘束し拘束せられ、他の運動を受容れると共に、受容れられることによつてより外にはなされ得ない。しかもそれはそれら凡ての運動が一つの同じ社會的場に生起する運動であることから來る必然の性格に外ならぬ。從つてこれら諸運動は一面から見れば、異質的なものではあるが、他面それは同じ性質の運動であるといはねばならぬ。さもなければ相互影響といふことは不可能となるであらう。ではそれらの運動をそこに於て相會せしめる共通目標となるものは何であらうか。それは凡ての社會的存在そのものに本質的な目標以外のものではあり得ない。これら凡ての運動は特定の社會的場に於て運動として展開するのであり、特定の場に屬する成員に對して容認を迫るのである。從つてそれらは運動としては、凡て運動がさうであるやうに、その場の指力線の配置を變へようとするものであるといはねばならぬ。言ひかへれば、この特定の指力線の配置されてゐる場を、その動的形態に於て把握するならば、それら凡ての運動は第一次的協働體の方向に特定の偏りを與へようとするものであると言はなければならぬ。從つて第一次的協働體の方向が、如何なる目標を目指すものであるにせよ、その性質が如何なるものであるにせよ、凡ての第二次的協働體はその追求する特殊目標の如何にかゝはらず、第一次的協働體の方向決定に關與する限りに於て相互に相會するのであると言はなければならぬ。言ひかへれば、凡て特殊目標を追求する第二次的協働體は第一次的協働體の方向決定に關與することを目指すものであると言はねばならぬ。又この限りに於てそれら協働體は相互に影響することが出來るわけである。だからひとが特定の第一次的協働體に屬する成員である限りに於て、ひとが第二次的協働體の立場に立つて主張される主張は、凡て、第一次的協働體の目標追求に仕へるといふ見地からのみなされ得る。さもなければ全く獨善的立場に陷り、他者との實踐的交渉をなすことは出來ぬ。しかしこのことは又第二次的協働體が第一次的協働體の機能の分化であるといふことから必然的に來る性格に外ならぬ。といふのは、特殊機能は全體の目標追求に奉仕する限りに於て、意味と價値とを得るものに外ならぬからである。若し全體の目標追求に奉仕するといふ言葉が餘りに道徳的な響きをもつてゐるとすれば、結局それと同じことであるが、その協働體の全體に於ける地位の向上を目指すものであるといつても差支へない。しかしこの場合、全體に於ける地位が全體の方向決定に關與する力に應じて、言ひかへれば全體に貢献する度合ひに應じてきめられることを否定するわけにはゆかぬ。

ともあれ、第二次的特殊協働體の立場がそれ自體として、とられるといふことは、實踐的には不可能なことが、上に述べたことから明かである。それは社會的實踐的立場ではなくて、觀賞の立場であり、冥想の立場に外ならぬ。社會的實踐的にはひとが第二次的協働體の立場に立つのは、第一次的協働體に屬する成員として、第一次的協働體の目標追求に仕へるとの見地からである。從つてかういふことがいへる、凡て社會的場に生起する運動は、その運動の生起する第一次的協働體の立場に於て實踐的には評價されるのであると。よしひとが第二次的協働體の立場に立つて世間並に人生を評價するとしても、それは特定の第二次的協働體にのみ屬するものとして評價がなされるのではなくて、第一次的協働體に屬するものとして評價するのである。これひとが特殊目標を追求する或特定の第二次的協働體にのみ屬するものではなく、同時に種々の第二次的協働體に屬するものであり、それら諸多の協働體の存する第一次的協働體に屬するものであるがためである。

これを要するに、ひとの他者に對し事物に對する態度、その見方、感じ方、考へ方は決して特殊な第二次的協働體の立場からのみ規定せられるものではない。それは、ひとがその立場に立つて全體に仕へることによつてのみ始めて實踐的には可能となるのである。しかし、これと雖も結局われわれの他者に對し、事物に對する態度が世間にさし向けられたものであることから來る制約に外ならぬ。從つてそれは、ひとが第二次的協働體の焦點に自らを置くことによつてとられる態度が、國民なる社會的場の指力線の拘束をまぬがれ得ないことを示すものでなければならぬ。

われわれがこゝに特殊目標を追求する第二次的協働體に就いて述べたことは凡ての傳統に就いても言へる。といふのは個々の傳統はわれわれの見解によれば、特殊目標を追求する一種の第二次的協働體とみなされ得るからである。又特定の時代に於て展開した文化運動が國民の傳統として、沈澱するに至つたのは、それが第一次的協働體に現實的に仕へ來つたがためであり、第一次的協働體の方向決定に重要な役割をなしてゐるがために外ならない。

三

然しながらひとの立場、態度の問題はたゞ單にひとがよつて立つ地盤の問題だけではない。態度はひとのよつて立つ立場によつてきめられるが、立場はひとの態度を制約する一つの條件に外ならぬ。その立場に立つて或事を主張し要求し他者の容認を迫るのは、あく迄も生ける個性を有する人格であり、主張は主體の内面的要求を表はすものに外ならぬ。ではひとのかうした内面的要求とひのよつて立つ立場とは如何なる關係に於てあるのであらうか。

ひとの態度は先にみたやうに、自分に迫り來る他者との力學的緊張關係によつてきまるものであり、この他人との力學的緊張關係によつてひとは特定の立場をとらしめられ、このよつて立つ立場によつて或る內面的必然性をもつて特定の態度がとられるのであるが、それは現實的には他者から迫り來る運動に特定の偏りを與へようとの努力に於てとられるものとして、主體の內面的要求に基くものである。ひとはかうした內面的要求を支持し、その正當性を確證する地盤として特定の立場をとるのである。ひとの態度は一面、ひとのよつて立つ立場によつて制約されるとともに、他面主體の內面的要求によつて規定されるものである。

われわれは先にひとの態度がひとのよつて立つ立場によつてきめられるのは、ひとが他者との力學的緊張關係に於て特定の協働體の焦點に自らを置くことによつて協働體そのものゝ合成ヴェクトルが、言はゞ彼を通して發動するがためであると述べた。といふのは、それはひとが他者との力學的緊張關係に於て特定の協働體を代表するものとして他者に對してとられる態度に外ならぬからである。從つてひとの態度を規定する二つの要因、ひとのよつて立つ立場と主體の內面的要求とが如何なる關係に於てあるかといふ問題は、この協働體の合成ヴェクトルと主體の內面的要求とは如何なる關係に於てあるかとの問題となる。ところがわれわれの最も內面的な要求が單に生物學的心理學的なものではなく、人格的要求として傳統に根ざすものであることは確實であるやうに思はれる。けれども內面的要求そのものが傳統ではない。根ざすといふことは、それによつて基礎づけられてゐること、それを地盤としてその上に生れる事を意味する。從つてかうした意味に於ては、われわれの内面的要求そのものが協働體の合成ヴェクトルであるとはいへない。それは合成ヴェクトルに基いて生れる要求ではあるが、それが其儘に合成ヴェクトルではないとも考へられる。けれともそれが合成ヴェクトルに基いて生れた要求であるとは、主體に對して迫り來る他者の要求、傳統を代表するものとしての他者の運動を受容れることによつて生れた要求であることを意味する。從つてそれは現實的な生きた傳統であるといふ事が出來る。歷史に於て生成しつゝある現實的な生きた合成ヴェクトルはかくの如きものである。而もそれは他者によつて代表されてゐる傳統に基礎づけられ、それに根ざしてはゐるが、それを受容れることによつて合成せられたヴェクトルとして主體の眞實の内面的要求を現はすものでなければならぬ。ひとが特定の協働體の焦點に身を置くことによつて發動するヴェクトルは、實にかうした傳統に基いて生れた主體の内面的要求を現はすものであるといはなければならぬ。これ一つの同じ協働體の焦點に自らを置くことによつてとられるひと〳〵の態度が、それ〳〵の個性によつて異る所以である。そこには個人差があり、それ〳〵の個性による合成ヴェクトルの偏向がある。又もしこのことがなければそれは人格の核心をなすことは出來ぬ。

元來固定せるものとしての傳統の概念、指力線なる概念は合成ヴェクトルをもつて動いてゐる協働體を靜止せる形態に於て捕へることによつて得られた概念に外ならぬ。それは動いてゐる社會を假りに靜止せるものとしてみるときは、かゝるものとしてみられるといふだけのことであつて、又その限りに於て眞實ではあるが、それは流動生成に於てある文化卽運動を假りに靜止せる形態に於て把へたものに外ならぬ。從つて文化が歷史の流れに於て比較的に緩慢に流れてゐるやうな場合には、文化の變化が微分的に小さなものと考へられ無視し得るのみならず、相對的に變化しない地盤を想定せずしては、その上に於て展開する運動を理解することは出來ないから、この概念は極めて妥當ではあるが、しかし人格の問題に於ては實にこの無視し得られるやうな微分的變化が中心的問題となつて來るのである。といふのは、廣い文化の立場から見れば無視し得られるやうなこの微分的變化を生ぜしめるものとしてのみ人格は存するのであるからである。この合成ヴェクトルに對する微分的變化との關聯に於て具體的現實的な人格、個性をもつた人格が始めて舞臺に現はれて來るからである。人格の問題にとつては微分的な偏向を與へられてゐる合成ヴェクトルが、各個人の人格の核心をなしてゐるといふこと、これこそ眞實の自己であるといふことが大切な點である。又現實的には他者との力學的緊張關係に於て微分的偏向を與へられる合成ヴェクトル以外に合成ヴェクトルは存しないのである。それは他者との人格的交涉によつて生れたものであり、又人格的交涉によつて變化するものである。それは常に合成されつゝあるものに外ならぬ。かうした意味に於て各の具體的個性は常に歷史の先端に立つてゐる。ひとが他者との力學的緊張關係に於て自らを特定の協働體の焦點に置く時、言はゞ協働體そのものが彼に於て現はれ、彼を通じて發動するのはこれがためである。協働體の合成ヴェクトルが彼に於て、彼を通して他者に作用するのである。この場合協働體の合成ヴェクトルとは、彼によつて承認され、彼によつて受容れられてゐる合成ヴェクトルとして、現實的には彼によつて偏向せしめられてゐる生ける生成しつゝある合成ヴェクトルに外ならぬのである。彼は協働體の歷史的先端に立つものとして協働體を代表し、他者に對して立つのである。さうしてまたこのことがあればこそ、ひとは自己の主張の正當性を絕對的に信じてゐるのである。それは決して死せる協働體によつて保證されてゐる立場ではなく、生けて協働體、彼自らに於て生きてゐる協働體そのものなのである。協働體の焦點に自らを置くといふことは、協働體の凡ゆる力が彼に於て收斂せられ、彼を力點として發動することを意味する。從つて他者との力學的緊張關係に於て他者に對してとられる立場は彼自らにとつて眞實の立場、その場合とり得る唯一の立場であると信ぜられるのである。立場の問題は自己の眞實の內面的要求、信念の問題に外ならぬからである。

しかしそれと同時に立場の概念は、最早や單なる靜止せる場を指すものであることは出來なくなる。それは時に於て流動してゐる協働體、展開しつゝある運動そのものを指すものでなければならぬ。言ひかへれば立場は、歷史的に保證された立場といふ性格を帶びて來る。例へば宗敎的立場とは、特定の宗教的集團によつて支持されてゐる立場ではあるが、それは本質的には特定の宗教的傳統によつて保證されてゐる立場であり、科學的立場とは科學者の集團の立場ではなく、科學的傳統の立場であり、藝術的立場また然りである。科學的立場は科學者達によつて保證されてゐる立場であり、科學者達の努力によつて確立確保せられた立場である。從つてこれら科學的目標を追求する人達は、この目標追求に於て協働してゐるのであり、その限りに於て彼等は協働體を構成してゐるといふ事が出來る。傳統はそれを支持する一團のひと〴〵を豫想する。從つて科學的目標を追求するひと〴〵の群を協働體と呼ぶといつても、それは所謂科學協會とか呼ばれるものをのみ指すのではないことは明かである。科學的傳統を守護する人達は特定の科學協會に屬してゐなくても、協働體を構成してゐると言はなければならぬ。しかしかくの如き協働は、歷史の流れの横斷面に於てのみ存するのではなく、歷史の流れをむしろ縱に結んでゐるものである。ひと〴〵の協働は例へば科學的傳統を繼承發展せしめる事に於てのみなされ得るのであるからである。宗教や藝術の場合に於ても同じことである。從つて今は現存しない人達とさへ、ひとは協働體を構成してゐるのであると言はなければならないのであらう。そこに文化の遺産があり、それを繼承發展すること、文化の生成が問題となる限りに於て、一言でいへば、運動の展開といふことが問題となる限りに於て、われわれはかく考へなければならぬ。少くともわれわれの立場を規定するものが文化の傳統である限りに於て、それを支持する人達は現存の成員だけに限らなければならない理由はないやうに思はれる。さうであればこそ、協働體の焦點に自らを置くといふこと、協働體の凡ゆる力が自己に於て、自己を通じて流れ出るといふ事が成立つのである。それは、歴史を通じて合成せられた力が彼を通じて作用することを意味する。われわれが協働體を靜止せる場とみる限りに於て、傳統は指力線としての意味しか持ち得ないが、協働體は本質的には運動そのものであり、生成しつゝある傳統そのものに外ならぬのである。かく協働體を本來の形態に於て把へる事によつてひとは過去との結びつきを得、人格としての意味を獲得することが出來る。それは現實的な力として遠き過去に由來する力である。それは單なる私の力ではない。過去の人達を動かしたその力が實に私をも動かしてゐるのであるとも言へる。とはいへ、それは現實の力として私の力として他者との力學的緊張關係に於て、私が自らを特定の協働體の焦點に置くことによつて、今こゝにある特定の力點を通じて發動する集積された過去の力に外ならないのである。こゝに佛敎で言はれる諸佛の念願力といふやうな概念も成立つ。さうしてこれは宗敎のみに限らず凡ての文化の傳統に就いて言はれるであらう。傳統によつて行動が規正せられる、傳統に從つて行動するといふことにはかゝる意味が存するのである。といふのは、運動は常に時に於て、歴史的な時に於て展開するものであるからであり、運動の展開こそ文化の進展であり、協働體そのものが動くことに外ならぬからである。かうした意味に於て、われわれの自己はわれわれに先立つ先達から生れたものであると言ふことが出來るであらう。われわれの自己は本質的には傳統によつて生れたものである。而もそれは現實的には他者との力學的緊張關係に於て特定の立場をとることによつて生れるものに外ならぬのである。

四

このやうに傳統は嚴密な意味に於ては社會的場に展開しつゝある運動とみなされなければならぬ。傳統が先立つ世代からそれに續く世代へと傳へられる限り、それは運動といふ形を以てなされるのでなければならぬ。それは先立つ世代から押しよせて來る運動として續く世代によつて受容れられることによつて、如何に僅かではあつても、特定の偏りが與へられるのであると言はなければならぬ。もしさうでないならば、それは言はゞ根無し葛となり、人格の核心をなすことは出來ぬ。然し乍らもし傳統が社會的場に展開しつゝある運動に外ならないとすれば、それが社會的場に新に展開する運動と合成せられることなしに、時代を超出して、比較的旣存の形態をもち續けて行くのはどうしてであるか。

それは社會的場に運動が展開することによつて、一種の協働體が構成せられるがためであり、ひとは同時に種々多樣な協働體の成員となることが出來るからである。ひとが或特定の新しい文化運動に關與するといふことは、それと異つた目標を追及する協働體の成員たることを悉くやめなければならぬといふやうな性質のものではなく、むしろひとが相互に特定の社會的場に屬する成員として承認しあふことによつてであり、行動をもつて特定の協働體の成員たることを證明することによつてである。新なる運動が社會的場に展開するに至るのは、今迄人心を支配してゐた既存の或特定の傳統が最早や完全に人心をつかむことが出來ないといふ事實、言ひかへれば既存の或特定の傳統がもはや時代の要求に合致しないものとなつたがためには違ひないが、從つてかうした古い傳統を代表する部分との力學的緊張關係に於て現れるものとして、その特定の傳統に關する限りに於て、さうした部分との協働を否定するものには違ひないが、諸他の傳統に關しては對立にもかゝはらず、暗默のうちに相互承認が存するのでなければならぬ。言ひかへれば、諸他の傳統に關しては、傳統に基く協働體の成員たることを相互に承認してゐるのであると言はなければならぬ。われわれは傳統の概念によつてたゞ一筋の流を想像すべきではなく、起源を異にする無數の流を理解しなければならぬ。さうして改革は主としてその一つの流に對してのみ向けられるのであると考へなければならぬ。從つてひとは例へば宗教的傳統に關して對立してはゐても、國語の傳統は相互に承認してゐるのであり、又或特定の政治的傳統に於ては對立しても他の政治的傳統に關しては相互肯定の關係に立つてゐるのである。といふのは、對立は常に相互肯定の地盤に於てのみなされ得るものであるからである。社會的場に於て運動が展開し、ヴェクトルが合成せられて行くには、その背後にひと〴〵によつて無條件的に承認されてゐる地盤がなければならぬ。運動が展開するためには展開する地盤がなければならぬからである。從つて勿論それら無數の流れは有機的ともいふべき關聯をもつてゐて、その一つの流れの變化が他の流れに對して無關係になされるといふことはあり得ないとしても、新なる運動は、相對的に不動の地盤に於て展開されるのであると言はなければならぬ。全然傳統のない無地の場に運動が展開する事によつて、そこに忽然として特定の社會的條件が設定せられるに至るのではなく、運動が展開するのは特定の指力線の支配する場に於てであり、運動によつてなされる事は、嚴密に言へば、既存の社會的條件の更新に外ならぬ。而も新なる運動は常に或特定の目標を目指すものとして、現實的には、其弊に耐へられないやうな特定の傳統にさし向けられるものに外ならぬ。さうしてこの古き傳統を守護する勢力との力學的緊張關係によつてこゝにヴェクトルは合成せられ、新しき傳統は形成されて行くのであるが、その背後には先にも見たやうに相互肯定の地盤がなければならぬ。從つて展開する運動が新しき傳統として結晶するためには、運動によつて古き傳統群は分化し、その中の特定の傳統だけが、諸他の傳統を背景として浮び上り、これが新なる運動と合成せられなければならない。勿論これによつて傳統の全體系は更新せられはするが、それでも尙それら傳統が既存の方向を辿るといふことは可能である。といふのは、それ〴〵の傳統はその固有の目標をもつてゐて、特定の目標を追求する協働體とみなされなければならないからである。その追求する目標は、新なる運動による全體の方向の偏向によつて特定の偏りが與へられはするであらうが、それによつてその固有の目標追求を放棄することはないであらうからである。例へば或特定の政治運動によつて或種の宗敎的傳統が特定の偏りを與へられるといふことはあつても、政治運動を受容れることによつて宗敎的要求が充たされるといふ事がない限り、ひと〴〵は依然として宗敎的傳統を守護して行くであらうからである。既存の傳統はそれと共通の目標を目指す新なる運動によつて更新せられ、それとの力學的緊張關係に於て形成せられる新なる傳統によつてとつて代られ得るだけである。新に展開する運動と合成せられるのは、たゞそれと同質的なヴェクトルだけであるからである。といつても異質的な傳統が全然無關係にそれ〴〵の方向をたどるといふのではない。これら異質的ヴェクトルの合成された力が國民協働體の方向決定に關與することはわれわれが既に述べたところである。しかしそれにもかゝはらず、それ〴〵の傳統は國民協働體の全體の方向によつて拘束され乍らも、その固有の方向を守りつゞけて行くのである。さうしてそれは特定の傳統に於てひと〴〵が特定の目標を追求する一種の協働體を構成してゐるがためでなければならぬ。

凡て社會的場に展開する運動はひとびとの容認を迫る運動として、特定の目標追求に對するひと〴〵の協働を求めるものに外ならぬ。この運動がひと〴〵によつて承認され、特殊目標の追求に於けるひと〴〵の協働が成立つ時、そこに新なる傳統が形成せられるのである。傳統のひとびとの行動に對する拘束力は、それがひと〴〵によつて容認された運動である事から來るのであり、ひと〴〵が運動の展開によつて構成された特定の協働體の成員たる事を承認するところから來るのである。從つて特定の目標を追求しようとする要求がひと〴〵から全く消え去らない限り、又それによつてひと〴〵の要求が充たされて行く限りに於て、傳統は守護されて行くであらう。言ひかへれば運動によつて構成された協働體がその存在の理由を失はない限り、世代の變化によつて、それを構成する成員は代つても、依然としてその固有の方向をたどらうとするのである。

一體われわれが社會的場に生起する運動を無地の場に生起する運動として記述する限りに於て、運動が跡形を殘すといふ事はヴエクトルの理論からは理解出來ぬ。時間的に先行する運動はそれに續く運動と合成せられて、運動は變化し止まるところを知らない筈である。時の始めから終り迄果しなくヴエクトルは合成せられて行くであらう。かうした見地からするならば、運動は通り過ぎると共に、社會的場には何物をも殘さないであらう。

ところが社會的場に於て運動が進展するのは、特定の社會的條件があつて、それが運動を合成せしめるための缺くことの出來ない制約をなしてゐるがためである。事實ひと〴〵が他者と交渉するのは、既存の特定の力學的條件の無條件的承認を前提としてのことである。對立は、よし自覺されてゐないとしても、かうした力學的條件に對する無條件的承認を豫想する。だから凡ての傳統が社會的場に展開しつゝある運動として記述せられるとしても、社會的場に新に展開する運動と合成せられる事なく、比較的既存の形態を持續けて行くことも可能となるのである。といふのは、對立に於て或特定の傳統は際立たしめられ、場の前景に押出されても、從つてそれが古い勢力を代表する運動として發動するとしても、諸他の傳統はそれがそれに對立する新なる運動と合成せられる地盤としてその背景をなしてゐる筈であるからである。さうであればこそ、ひとが他者との力學的緊張關係に於て特定の傳統の立場に立つことによつてきめられる態度が、特定の合成ヴェクトルを以て示される傳統の力を表現するものとして他者に對して働きかけ乍らも、全體の場の指力線の拘束をまぬがれ得ないのである。又凡ての傳統が社會的場に展開しつゝある運動であるといつても、その力が特定の主體を通じて發動するのは、主體が他者との力學的緊張關係に於て、その據り處とする特定の傳統だけであつて、凡ゆる傳統の有する力が同時にそこに發動するのではない。諸他の傳統はさうした人格的交渉を可能ならしめる共通の地盤として背後にひかへてゐると考へなければならぬ。だが如何なる傳統をその據り處とするかといふ事は、他者との交渉の現實の事態によつてきまるのであらう。從つて傳統は普通には單一なものであるかのやうに言ひ慣はされてはゐるが、決して單一なものではなく、無限に多樣なものであると言はなければならぬ。他者との力學的緊張關係に於いてわれわれの主張の據り處となるのは、たゞその自覺された形態だけである。だがかうした自覺された傳統の背後には自覺されない無數の傳統が控へてゐるのである。ではわれわれの人格的交渉の地盤をなすこれら多種多樣な無自覺的傳統は相互に如何なる關係に於いてあるのであらうか。

五

凡て社會的場に運動が展開せられるといふことは、それによつてひと〴〵の協働が生ずることであり、特定の目標を追求する一種の協働體が構成せられることに外ならないが、かくして構成せられた協働體は一時的なものであり、その場限りなものであることも屢々ある。といふのは、社會的場に展開する運動はそれに續く運動によつて打消され、全面的に或は部分的に變形せしめられ、その跡形さへも認めることが出來なくなることも屢々あるからである。しかしかうした運動が積り積つて、永い歴史の過程を通つて、動かすことの出來ぬ傳統を形成するに至るといふ事も又可能である。特定の歴史的時代に於いて展開した種々の運動が合成せられ、時の經過と共に無自覺的運動に化してしまひ、場に生起する自覺的運動を拘束する條件となることがある。かうした場合、われわれは社會的場に特定の文化的傳統が生れたのであるといふ。といつても、新しい傳統が過去の傳統と無關係に忽然として社會的場に現れるのではない。新しい運動が展開されるのは決して無地の場に於てではなく、種々多樣な力學的條件を有する社會的場に於てであるからである。從つて社會的場に展開する新しい運動は既存の社會的條件によつて制約されると共に、現存する特定の勢力と合成せられることによつて始めて新なる傳統として社會的場に沈澱し、これが更に場に生起する運動を拘束する條件となるのでをる。從つてこれら凡ての文化的傳統は、その由來する歴史的時代に應じて先立つ傳統によつて制約されると共に、それに續く傳統を拘束するやうな關係に立つてゐるといはなければならぬ。ところが、現在われわれの生活してゐる社會は、今日われわれが未開社會に於て見るやうな、或はそれよりも一層原始的な未分化の社會から分化し來つたものに外ならぬ。從つてこれら多種多樣な傳統はそれを如何なる時代にとつてみても、未開社會に於てみられるやうな根源的原始的傳統から分化して來たものと考へざるを得ない。多方面的な原始的傳統が場に生起する運動によつて分化せしめられ、新たな傳統として結晶するに至つたのであると言はなければならぬ。從つてもしこゝら傳統が今も尙現存してゐるとするならば、最も遠い過去に由來する未分化の傳統が根柢にあつて時代を下ると共に、漸次に分化した傳統が、これもその由來する時代に應じて、相互に制約し、制約されるやうな關係に於いてあるのであると言はなければならぬ。かうした意味に於てわれわれは、傳統はその由來する歷史的時代に應じて、社會的場に層をなし、沈澱してゐるのであるといふ事が出來る。社會的場の最も深いところに、未分化の層が橫はり、漸次に分化した諸層が、その分化の程度に應じて堆積してゐるのである。時代的に先行する傳統の層がそれに續く傳統層の土臺をなしてゐるのである。一層原始的な從つて未分化の床の上に、その後の運動によつて生じた傳統は沈澱されて來たのであらうからである。このことはわれわれが現在住んでゐる社會が、今日尙未開社會に於いてみられるやうな比較的未分化の社會から發達したものであり、社會的場に現れる凡ての運動、凡ての協働體は比較的齊一的な社會的場の分化によつて生じたものであることを承認する限りに於いて認めないわけにはゆかぬ。

勿論個々の文化的傳統に就てみれば、その各が常に必ずしも特殊な地域的或は種族的な集團の境のうちにだけ擴つてゐるものではない。しかしそれにもかゝわらず、それが特定の地域的民族的集團の傳統として無自覺的運動と化するに至つたのは、よしそれらの運動が地域的民族的な場の境を越えて押しよせて來た運動に由來するものであつたとしても、運動に運動として既存の社會的條件によつて制約され、受容れられることによつて始めて無自覺的運動と化することも出來るのである。若しさうでないならば、境を越えて押寄せて來る運動は水邊に寄せては返す波のやうに、潮がひいてしまへば後に何物も殘さないであらう。それは言はゞ通り魔のやうに過去つてしまふであらう。そこに何か建設的な事業がなされてゐるとすれば、場の境を越えて押寄せて來た思潮の波は既存の力學的條件によつて制約されるとゝもに、受容れられることによつて特定の偏向が與へられなければならぬ。かうして始めてそれは社會的場に根を下すことが出來るのである。しかしそれが受容れられるためには、受容れる地盤が既に用意されてゐなければならぬ。雪を結晶せしめるためには核がなければならないやうに、そこに展開する運動を結晶せしめるためには、それを結晶せしめる核が社會的場になければならぬ。さうしてかゝる核は未分化的な地盤から分化せる或物でなければならぬ。それが新なる運動と合成せられて新なる傳統は確立せられるのである。言ひかへれば、比較的多面的な協働を目指す原始的傳統が、新なる運動が入り來ることによつて分化し、この分化せる力が新なる運動と合成せられるからして、特定の目標を追求する新なる傳統が確立せられるのである。而もこのことがなされたのは特定の歴史的時代に於てであり、特定の歴史的時代に展開する運動によつてである。これ傳統が特定の歴史的時代に由來するものとして特定の日附けをもつてゐる所以である。

從つて國民なる社會的場にはかうした國民協働體の通過した種々の歴史的時代に由來する特定の擴がりを有する種々多樣な傳統、特定の目標を追求する協働體が存するわけである。而もそれら傳統は過去の殘骸として雜然と秩序なく社會的場に橫はるのではなく、それが特定の傳統として固定するに至つたそれに先立つ時代の傳統によつて制約されるとゝもに、それに續く時代の傳統を制約するといふ關係に於てあるのであるといはなければならぬ。從つて現代の分化せる社會に於いても、尙原始的時代に由來する傳統が何等かの形で現存するならば、かうした最も古い日附を有する傳統はその後の凡ゆる運動を根本的に制約する條件として社會的場の最も深い床をなしてゐるといはなければならぬ。といふのは、その後の凡ての發展はこの根源的傳統の分化に基くものと考へなければならぬからである。このことはそれに續く次の時代に由來する傳統に就ても言へる。從つてわれわれは社會的場に於ては一層根源的な傳統が根源的ならぬ傳統に歷史的に先行すると言はなければならぬ。われわれは傳統のもつ歴史性をかうした種々の協働體の起源によつて、國民協働體の通過した時代に從つて、社會的場の層をなしてゐるものとして記述することが出來る。從つて歴史の動きによつて社會的場の諸條件が更新されて行くとはいへ、それは言はゞ表面だけのことであつて、その最も深いところに於いては表面の波動によつて影響されることなしに、靜かに一切を支へてゐるといふこともあり得るとなのである。フロイドの精神分析の見地から、人類生活の始めに於て存在した狀態が人格の根柢をなし、無意識を構成してゐるとなす見解には興味深いものがある。このことは原始的時代に由來する信念―われわれの見解によれば傳統は信念の問題に外ならぬ―がわれわれの人格の根柢をなすものであることを示すものでなければならぬからである。人格が根本的に非合理的なものであると言はれるのもこれがためでなければならぬ。われわれが日常の生活に於ては自分のうちに存しないと自ら信じてゐる信念―例へば方位についての信仰や月日の吉凶に對する信念―が異常な出來事に出會ふ時發動し、背くことの出來ぬ拘束を自らのうちに發見するのはこれがためであらう。凡て信念は夫々の事態に應じてわれわれが特定の協働體の焦點に自らを置くことによつて發動するものに外ならぬから、一切の現代的な文化文明が一度に破壞されるやうな場合、或は現實的に破壞される事がなくても、特定の事態の下に於いて主體にとつてその意味を失ふやうな場合には、それの未だ發達する以前の時代の環境にひとは置かれ、古い傳統に基く信念が頭をもたげ、平時にみられないやうな、どうにもならぬ力がわれわれを引ずつて行くのである。われわれはかうした事實に基いて歷史的に現代に近い傳統は、それを保つてゐる機構が破れると共に、一瞬にして消去るにもかゝはらず、遠い過去に由來する傳統はさうした表面の變化とは無關係に存續するのを知る。又ひとが群集心理の現象に於て注意したあの一切の個性を呑み盡し、ひとはたゞ全體と一つになり、全體の一つの波となり、一切の行動がその動きによつて規正せられ、平常の生活に於ては敢へてさうしようともしない筈のことを平氣でやつてのけるやうになるのも、恐らくかうした無自覺的傳統が集團の非常の時局に於て、歴史の危機に於て發動するがためであらう。集團の團結を要求するやうな現實の危急の事態が、かうした無自覺的傳統を言はゞ地下から呼び出すのである。だから自覺的傳統をその據り處とする事によつて生ずる各個人間の對立は消され、何か知らない力によつてひと／＼はただ一つの全體に結合され、たゞ全體の力だけが感ぜられるのである。これらの事實は社會的場の最も深い層に、原始的根源的な未分化の層が横つてゐてそれに續く時代に由來する諸多の傳統を制約してゐる證査であらう。

このやうに凡て傳統はそれ／＼の歴史的時代に由來するものとして、先立つ時代に由來する傳統によつて制約されると共に、それに續く時代に由來する傳統を制約とするといふやうな關係に於いてある。だからひとは時を遡ると共に、益々原始的な未分化な、從つて一層包括的な傳統の層に近づくのである。さうしてそれらの層は國民協働體の特定の時代に於ける發達段階に對應するものである。歴史的社會的な場はその通過した時代の遺産を傳統といふ形に於いて現實の力として、場に生起する一切の運動を制約する條件として保有してゐるのである。過去は單に記憶としてゞはなく、實踐的力して現在に保たれてゐるのである。それが現在に保たれてゐるのは、あくまでも將來の方向を限定する力としてゞあり場に生起する運動を拘束する條件としてゞある。われわれが時に應じ事態に應じて他者との力學的緊張關係に於て、それに對應する態度をとることの出來るのも、社會的場には無數のかうした傳統の層が現存するがためでなければならぬ。卽、ひとが他者との力學的緊張關係に於て、特定の歷史的時代に由來する傳統を自らの據り處とすることが出來るのは、他者との力學的緊張關係に於いて夫々の事態に對應する足場を求めて、言はゞ、歷史の流れを遡り、特定の社會的場の層に辿りつき、そこに身置くことによつて、地下に埋れてゐた信念が自覺的信念となつて現れて來るのであらう。無限に多樣な傳統がそれぞれの自覺的信念の背後にあつて、われわれの人格の根柢をなしてゐればこそ、他者との力學的緊張關係に於いて、言はゞ地下から呼び出され、自覺的信念となつてわれわれの主張を根據づけるのであらう。

六

然し乍ら元來傳統の層なる概念は、傳統を特定の過去の時代に由來する特定の目標を追求する協働體とみなすことによつて得られた概念に外ならぬ。從つて遠い過去に由來する傳統が今なほわれわれの行動に對して拘束力をもつてゐるとすれば、かゝる協働體の現存を不可缺たらしめるやうな事態が、現在に於いても社會的場に存するがためでなければならぬ。勿論それは必ずしもかかる傳統が設定されたその歴史的時代に於けると同一の事態の下に現在されわれが置かれてゐると考へなければならぬことはない。その歴史的事態は時の經過と共に變化はしよう。しかしそれにもかゝはらず、傳統が守護されて行くのは、さうした傳統、特定の目標を追求する協働體の存續を要求するやうな事態が現實の社會的場に存するのでなければならぬ。さもなければ傳統は跡形もなく消え去る筈である。傳統は特定の目標を追求する協働體として、かゝる協働を必然ならしめる事態が消失すると共に、解體されるであらうからである。傳統が時代を超出して守護されて行くためには、それだけの社會的根據がなければならぬ。例へば宗教的傳統にしても、それが比較的恒常的なものとして傳へられて行くのは、ひとが社會生活を營む限りに於いて、常に社會よりの壓力、他者の壓力が主體に迫り來るといふ現實の事態と關係を有するのであらう。社會に生活する個人にとつてはこの世は儘ならぬものである。だから、ひとは拂洗し得ない氣がかりを持ち、これが不安のもとゝなる。ところがかうした不安はひとの精神を抑壓し、壓迫する。それは一層大なる自由を希求する人格の本性とは相容れないものである。この抑壓の精神をはねのけようとする人格の大志に應へるものが宗教であるともいへる。從つてもしも人間の社會生活が人間の精神を抑壓するといふことが社會生活に常につきまとふものである限りに於て、更に又人間が一層完全なる自由を希求する實存である限りに於て、宗教的要求は人間にとつて、人間性にとつて本質的な要求であると言はなければならぬ。宗敎的傳統がその本質性に於て今日も尙數百年以前と何等變らないのは、社會的場に於けるひとの本質的な在り方が何等變化し得ないものであるがためでなければならぬ。勿論社會的場の力學的形態に應じて不安となり氣掛りとなる事は變化する。從つてこれに應へる宗教の敎へも變形せしめられはする。けれどもさうした變化にもかゝはらず、抑壓の精神をはねのけようとするひとの努力は本質的には異るものではない。これ過去に於いてのやうに現在に於いても依然として同一の傳統がそこに支配してゐる所以である。といふのは、宗教は人格の大志に應へるものであるから、大志を成就させるための實踐と、實踐によつて生れた體驗から成立つその傳統は比較的恒常的な形態を保つて行くからである。殊に宗敎の場合に於ては體驗が永遠的なるものに根ざすといふ事と恒常性とは關係を持つてゐる。けれどもひとの宗敎的努力を動機づけるやうな事態が社會的場に現存しないならば傳統は傳はりやうはない。このことは國家の法律が夫々の事態に應じて改廢せられる事を想起すればもつとはつきりするであらう。とにかく社會的場にそれに對應するやうな事態が存續しない限り、傳統が世代を通じて傳へられるといふ事は考へられない。從つて今もなほ遠い過去に由來する種々の傳統が存するとすれば、それに對應せる事態が社會的場に現存するがためであると言はなければならぬ。時は流れ時代は變化しても、特定の目標追求に關して比較的恒常的な關係にひと〴〵が立つてゐるがためでなければならぬ。このことのみが傳統の現存を說明するものである。

然し乍ら或特定の傳統が如何なる社會的根據を持つか、或はそれが如何なる目標を追求する協働體であるかといふ事は、それが無自覺的傳統である限りに於て、われわれには知られない。といふのは、無自覺とはその社會的根據に就ての無自覺、その追求する目標に就ての無自覺を指すものに外ならぬからである、從つてわれわれが宗教的傳統に就て、その社會的根據を示し、それが時代を超出して恒常的性格をもつ所以のものを示すことが出來たといふことは、とりもなほさずそれが最早や無自覺的傳統ではなく、自覺的傳統であるがためでなければならぬ。われわれは社會的場に於いてなされる行動として運動として呼ばるべきものであり乍ら、所謂運動としての性格を喪失した運動を風習と呼び傳統と呼ぶのであり、社會的場に展開する運動が自覺的運動としての性格を失つて無自覺的運動に沈むことを社會的場の層の沈澱として述べたのである。

從つて傳統は等しく運動によつて構成されたものであつても、特定の目標追求のための特定の組織を有する第二次的協働體とは本質的に異つたものである。それら第二次的協働體も、たとへは國家にしても、教會にしても、運動によつて構成されたものであり、構成は特定の日附を持つてゐる。從つてそれが過去に由來するものである點では傳統と同じである。しかしそれは運動によつて構成されたものはあるけれども、それは決して無自覺的運動として殘存するのではなくて、自覺的な目標追求を目指すものである。さうしてこのためにこれら第二次協働體は特定の組織を持つてゐるのである。[註] 從つて、これら第二次的協働體に於いては、目標の自覺的追求といふことが運動によつてかへつて表立つて來るのである。この點風習傳統と根本的に違つてゐる。

〔註〕しかし恒常的な第二次的協働體も、特定の運動によつて確立せられた制度とみることが出來る。又制度とみられる限りに於て傳統と同じ力學性格をもつてゐるといはなければならぬ。

從つてひとがかうした特定の組織を有する第二次的協働體の立場に立つといふことは、あく迄も自覺的に態度がきめられることゝもなるのである。又自覺的に態度がきめられるといふことに、その立場に立つ限り、先にもみたやうに、全體に仕へる、第一次的協働體に仕へるといふ見地からなすことが要求されるのである。ところが風習傳統によつて態度がきめられる時、ひとは決して自覺的に態度をきめはしない。ひとは無自覺的に、當然のことゝして自らの態度をめてゐるのである。この無自覺的に態度決定がなされるといふことに風習傳統の成員の態度を規正する獨自の仕方がある。

七

従つてわれわれはわれわれが社會的場の歴として述べた傳統と、所謂傳統的精神と呼ばれるところのものとを混同してはならぬ。所謂傳統的精神は國民なる場に於て自覺的に承認を迫る理念であつて、決して無自覺的な傳統ではないからである。それは遠い過去に由來するものとして一般の承認を迫りはするが、成員の再確認を求める限りに於いて、それは全成員に自覺的には承認せられてゐないものであると言はねばならぬ。従つてもしそれが傳統に根ざすものであるならば、無自覺的傳統が運動によつて自覺的理念に高められ、國民協働體に向ふべき方向を指示しようとするのでなければならぬ。從つてそれは傳統の更新の現象とみられる。それは現實の事態に即應して喚び起された運動であつて、過去の無自覺的傳統がそのまゝに現在によみがへつて來たのではない。われわれの見解によれば、傳統は無自覺的運動であり、それが無自覺的であるのは、全成員によつてそれが當然のことゝして承認せられてゐるからである。だから無自覺的運動が自覺的運動に迄高まるためには、それを阻止するやうな運動につき當るといふ事がなければならぬ。それの承認を拒むやうな部分が現存するのでなければならぬ。

一體、傳統は信念のことがらであり、信念はそれが場に屬する凡ての成員によつて無條件的に承認せられ、行動をもつて保證せられてゐるやうな場合には、われわれはそれを自覺しない。たゞそれが他の成員によつて受容れられないやうな場合、始めて自覺されるである。だからそれが自覺されるためには、それに對立する他の信念につきあたり、それが他者によつて其儘に承認されないといふ事實がなければならぬ。さうであればこそ、それが新しい運動として展開せられるやうになるのである。だから、よしそれが國民の遠い過去に由來するものではあつても、それが新なる運動として展開せられる限りに於て、現實的には國民の全體にとつて無條件的には承認されてゐないといふ事實が存しなければならぬ。卽國民なる場をなしてゐる或部分にとつては、それは無條件的に承認せられてはゐても、他の部分にとつては無條件的には承認されてゐないのであると言はなければならぬ。だから常に既存の特定の傳統を堅く保持する一團の人達があつて、新たなる運動の展開を阻止するのである。こゝに新興勢力と、それを阻む保守的勢力との對立が生れる。だがどうして國民の悠遠の過去に由來する傳統に對してかうした對立があり得るのであらうか。それは恐らくさうした傳統がかつて社會的場に於いて展開された運動に由來するものとして、それを支持する部分間の力學的緊張關係を保有してゐるがためであらう。といふのは、特定の傳統はそれ自體協働體としてそこに於いて占めるところの部分の位置、その方向決定に關與する部分のヴエクトルによつてきまるのであるから、凡ての部分はそれによつて行動が拘束されるとしても、それによつて蒙る拘束は凡ての部分に於て同樣であるといふことは出來ぬからである。だ、傳統は社會的場に、水面に油を洗したやうに、凡ての部分を同樣に拘束しはしないのである。

から或る特定の傳統のみに就てみるならば、それを承認することによつて受けるところの成員の特權は社會的部分によつて異つてゐる。言ひかへれば、特定の傳統によつて行動の拘束される度合ひ、或はその傳統の承認によつて保證される成員の自由度は部分によつて違つてゐるのである。だから或部分によつて絕對的眞理として歷史の流れを通じて、捧持されて來た傳統も、他の部分に於てはそれ程大な意味を持たず、時としてはどうでもよいものであるといふ事もあり得るわけである。だからそれがよし國民の古い傳統に根ざすものであつても、國民の凡ゆる部分を通じて一樣には承認されてゐないといふ事がありうるわけである。ところが新興勢力を歷史の舞臺に呼び出したところのその同じ現實の事態が、新興勢力の堅く捧持する傳統そのものを、國民協働體の向ふべき方向を指示する理念に迄高めしめる。といふのは、新興勢力はその捧持する傳統、その信念であり行動の原理たるものをひつさげて、社會的場に現れて來るのであり、その捧持する傳統に基いて、即、その信念に基いて新なる運動は展開されるのであるからである。この新興勢力によつて堅持されてゐた傳統が一般の信念となるところに、言ひかへれば部分的場の傳統が全體の場の傳統となるところに運動の展開の意味がある。しかし乍らそれが全體の場の傳統となるのは對立する運動につき當り、部分的場の偏狹性は破られ、全く新なる傳統として更新せられることによつてである。かくしてひとは、特定の視點から世間を眺め、人格を評價するやうになるのである。こゝに歷史に於ける時代の風潮といふものが成立つ。今迄特定の社會的集團によつて守護されてゐた傳統が全體の場の傳統となり、その時代の流をきめる床となるのである。だから特定の集團の傳統が社會的場に運動として展開せられるに至るのは、現實の事態がそれを求めるがためにはちがひないが、特殊集團によつて無自覺的に保持されてゐた傳統がそのまゝ國民協働體の向ふべき方向を指示する自覺的理念に迄高められるのではない。それが全體の理念に迄高められるのは、それに對立する他の集團によつて無自覺的運動が阻止され、對立する他の部分との力學的緊張關係を通じてである。さうであればこそ、その特定の集團に於いて無自覺的に捧持されてゐた傳統が自覺的運動として展開せしめられるのである。部分の傳統は部分の傳統としては無自覺的である。從つて傳統は、よしそれが部分の傳統ではあつても、全體としての協働體の追求すべき目標に迄高められ得るためには、全體としての國民協働體の目標追求に仕へるといふ意味をもつてゐなければならぬ。さうでないならば、それは國民協働體の理念とはなり得ない。從つて新興勢力は、よしそれがたとへば經濟的に有力な勢力であるにせよ、或は軍事的に有力な勢力であるにせよ、その主張するところのもの、その眞理として捧持し信捧する信念、傳統はあく迄もその普遍妥當性に對する信念に根ざすものでなければならぬ。特殊團體としての自分達の見地から妥當するものではなくて、全體の見地に於いて妥當するものとして、他の集團に對しても承認を迫る力を持ち得るからである。だから無自覺的であつた傳統は自覺的な理念にまで高められなければならぬ。從つて傳統は、よしそれが特殊集團によつて主張されるにしても、あく迄もそれは全體の立場に於いて主張せられなければならぬのであり、又對立せる勢力との力學的緊張關係を通じてその偏狹性は破られ、眞實の合成ヴェクトルたることを證明しなければならぬのである。

このやうにして國民の傳統的精神は更新されて行く。それは勿論悠久な過去に根ざすものであり、そこから流れ來るものではあるけれども、永い歷史の過程を通じて常にその時代、その時代の現實の事態に應じて歷史の舞臺に呼び出された部分的協働體によつてかたく保持されてゐた無自覺的傳統が現實の事態に應じて自覺的理念に迄高められ、かくて時の經過と共に、場に屬する凡ての成員によつて受容れられ一般の評價の基準となるやうになるのである。この成員の確證によつて古い傳統は新なる內容と新なる力とを獲得するに至るのである。かくして古い狹い傳統は更新せられ、舞臺の背後に退き、新なる傳統となつて全體としての社會的場の指力線となる。かうした傳統の更新せられる過程こそ、國民精神の生成過程に外ならぬ。このことは外部から押寄せて來る運動によつて、國民の傳統が著しく歪められるやうな事態の下に於いて、眠つてゐた傳統が、地下から呼び出されるやうな場合にしても同じことである。しかし特にその國民が固有の方向を守らうとする根強い力を持つてゐるやうな場合には、外部から押寄せて來る壓力をはねかへす力は、國民なる場の部分によつて保持されてゐる傳統によるのではなく、國民の全體によつて堅持されてゐる傳統に外ならないではないかとも考へられる。しかしそれにしても、誰かによつて、又特定の部分によつてこの事が强調されることによつてなされるのであり、又それが特定の部分によつて强調されなければならぬのは、强調されなければならぬ理由があるからではないか。

然し如何なる場合に於いても、傳統更新の現象の背後には國民なる社會的場に指導的地位を占めてゐた部分によつて强く支持されてゐた傳統が、現前の事態の變化と共に、最早そのまゝでは全體の理念として承認され得なくなり、國民協働體の方向をきめる資格を缺くことが一般に認められるやうになるといふ事情がなければならぬ。こゝに成員の信念の動搖が生じ、新なる理念が胎動するやうになるのである。しかしこの現象は國民なる場の凡ての部分に、同樣にまた同時に、顯著になつて來るのではなくて、或特定の部分、卽次の時代を背負つて立つ部分に於いて特に際立つて現れて來るのであるが、旣存の指導的部分に於ては尙當然のことゝして、旣存の傳統を固守しようとする傾向が見られるのである。しかし事態の切迫と共に國民協働體は旣存の方向をたどることが出來なくなり、それが現實の事態に卽應せぬことが誰にも氣付かれるやうになる。かくして新なる理念は言はゞ旣存の傳統の拘束、壓迫に窒息されさうになつた地下の魂が浮びあがつて來るかのやうに現れて來る。それを呼び起すものは現實の事態である。われわれはかうした國民協働體の向ふべき方向を指示する理念を携へて現れて來る社會的場の部分を新興勢力なる名で呼んでゐる。社會的場に於ては運動は常に社會的場の特定の點或は部分から始まるのである。しかし新なる運動が全體に於て同時にではなくて、特定の部分から始まるのは、その部分に於いて、他の部分に於けるよりも、既存の傳統がもはや傳統としての資格を喪失してゐるものとして一層切實に感ぜられるといふことがなければならぬ。かくして新興勢力は全體の名に於いて、既存の傳統を最早全體の傳統ではないとなし、これを單なる分ヴェクトルに貶下し、かくしてその下に於いて拘束されてゐた運動が白日の下に歴史の舞臺に現れて來るのである。といふ意味は、それはもはや部分の理念としてではなく、全體の理念として、國民協働體の追求すべき理念として運動の承認される事を求めるからである。しかし現實的には、そこに對立がある限り、又それが運動として進展する限り、單なる分ヴェクトルに外ならぬ。部分のヴェクトルが全體の合成ヴェクトルとして主張されるところに運動は進展して行くのである。かくして運動の進展と共に新しい理念が輝き出で、今迄承認されてゐた傳統が次第に影が薄くなり、事態は全く逆轉して來るのである。だがどうして新しい理念が新興勢力の傳統に一層深く根ざすものに外ならぬかといふ事は、われわれの信念が傳統に根ざすものであり、更に又新しい運動が特に社會的場のその部分から始まり、他の部分から始まらなかつたといふ事實からのみ應へられる。社會的場の部分を他の部分と區別せしめるものは、われわれの見解によれば、風習であり傳統に外ならぬからである。その故にわれわれはかういふ事が出來る、無數の傳統が層をなして社會的場に沈澱してゐながら、或特定の傳統だけが地下から喚び起されるのは、それが新興勢力の行動の原理として保持され來つた傳統であるがためであり、新興勢力を歷史の舞臺に喚び出したその同じ歷史的事態がその堅く捧持する傳統を全體の理念として高めしめるのであると。

われわれはこゝに資本主義の華やかであつた時代を想起してみよう。その時代に於いてはひとは特殊協働體の目標追求を、それ自體として意味あるものと考へ、美のための美が主張されたと同樣に、學問のための學問が當然のことゝして認められてゐた。さうしてそれは經濟のための經濟金まうけのための金まうけを承認するためには都合のよい見地であつた。ひと〴〵は凡て協働體がその固有の特殊目標を追求することによつて、それぞれの分野の開拓は可能となり發達は可能となるのであると考へ、自由、何物にも拘束されない自由が理念として凡ゆる分野に於いて掲げられ、この見地から凡ては評價されてゐた。しかしかうした拘束を知らぬ自由の落付く先は、不統一と困亂以外何物もないといふことは歷史によつて證明された。それは恐るべき社會的分裂に向つて步を進めるものに外ならぬ。何故であるか、人々が自らの屬する第二次的協働體の追求する目標を唯一の目標としてそれ自體に於いて追求する價値あるものとして追求する限り、そこには分裂以外のものはあり得ないからである。だが一體どうしてかうした理念が單に資本家階級に止まらず、一般の思潮となつたのであるか。

經濟的に有力な部分に屬するひと達の考へかた、感じかたが、さうでない部分の考へかた感じかたの評價の仕方に迄影響を與へるにいたつたのは、經濟的に有力な部分、經濟的實力を持つてゐる部分に屬するひと達に對する人格的尊敬に基くとも考へられよう。又事實に於いて、經濟的に有力な部分に於いて、自制の精神とか、勞働に對する愛とか、或は誠實正直に對する鋭い感覺といふやうな、經濟的に無力な部分にはみられないやうな道德的素質をもつてゐることは否定出來ないし、又かうした道德的素質が彼等の傳統となつてゐることも事實であらう。

われわれは我國中世に終り頃に於ける堺の商人が既に近代的な自治の精神によつて都市を經營してゐたといふ事實に於いて、彼等の間に精錬された新しい道德の萌芽を認めることも出來る。さうしてその職業の實踐に於て發達せしめた自制の精神、信用を重んずる精神が町人階級の傳統を形成するに至つたことは確實であらう。かうした獨自の傳統が彼等の間に發達してゐたればこそ、江戶時代末期に於いて、心學の運動があのやうな驚くべき發達を遂げることも出來たのであらう。といふのは、心學の運動は町人の階級の道德的要求に應へるものとして現れたものに外ならず、その道徳的要求に應へるものとして彼等の固有の傳統と合致するものがそこにあつたがためでなければならぬからである。かうした意味に於いて、心學の運動は町人階級の自主獨立の人格としての道徳的自覺に基くものであるといふことも出來よう。明治時代に於いて福澤諭吉によつて唱導された獨立自由の精神は、既に江戸時代に於いて町人階級に於いて特に發達し、その傳統をなしてゐた精神に外ならないであらう。かうした町人階級の傳統に對する一般の尊敬に基いて、自主獨立といふこと、或は自由といつてもよいであらうが、それが特に時代の價値評價の基準となり一般の理念に迄高められたのであるとも考へられる。然し乍ら町人がその職業の實踐に於いて形成した傳統が一般に尊敬されるに至つたのは、傳統に基くその道徳的人格に對する尊敬からであらうか。勿論そこには町人階級或は經濟的に實力をもつてゐる階級に對する尊敬も存するには違ひないが、たゞそれによつてかうした價値の轉換がなされたものであるといふ事は出來ないであらう。といふのは、問題は蓋ろどうしてかうした傳統が高く評價されるに至つたのであるか、ひと〴〵はどうしてかゝる新しい道徳の基準に從つて人格力を評價するに至つたかといふことにあるがためである。

江戸時代に於ては、道徳の具體的內容は身分によつて規定せられてゐた。ひとは身分的限定を通じてのみ全體に對して働きかけることが出來た。從つて身分相應といふことが道徳の根本であつた。武士は武士らしく、百姓は百姓らしく、町人は町人らしくあるといふことが道德の本質であつた。らしくあることが正しいこと〻されたのである。然し封建的身分は相互に承認しあひ、相補ふことによつて全體としての封建制度を組織的統一あるものとなしてゐたのである。從つて身分制度を確保するといふことが指導者階級たる武士階級の全體的努力の對象となつてゐた。ところが武士の生活が全く土から離れ、城下町に集合して生活するやうになり、その生活が貨幣に依存するやうになるとゝもに、町人の社會的實質的地位は動かすことの出來ないものとなつた。殊に江戶時代中期以後になると、町人は表面的には身分の最も低いものではあつたが、經濟的には武士の生活を支配するものと迄なつた。ところが、經濟的に武士の生活を支配するやうになると共に、町人は公の場に於いてではなくとも、或特殊な社會では大いにはゞを利かすやうになり、特殊な社會では武士も町人の生活をまねるといふやうなことが起るやうになつた。然しこのことは、武士が社會の指導階級たる資格を喪失した事を示すものである。こゝに於いて町人的氣風が一般の風潮となり、町人的道德が社會の道德の根柢を動かすやうになる。殊にこの風潮を强めたものは、當代の町人藝術の結晶なる歌舞伎と浮世繪とである。これが時代人の風尙をきめた。この趣味生活に對する町人藝術の影響に助成せられて、又その社會的實力によつて町人らしくあることがよきこと、正しいことであるかのやうに一般に思はれるやうになる。ところが町人が町人らしくあることが正しいことである。從つて町人らしくあることが凡てに對して要求される時、町人らしくあることが社會的に正しいこと、社會的正義として一般に受容れられるやうになり、町人の道德は社會正義の名に於て主張せられる。さうしてこのことは町人の經濟的勢力が盛んになると共に、その社會的勢力が否定し得ないものとなると共に、益々强く主張されるやうになる。町人以外の人々もそれが社會正義であると考へるやうになる。何故にさうであるか、封建社會に於いては、身分は士、農、工、商の順位に從つて階級的にそれ〴〵社會的地位が定められてゐたのである。その最も低いところの商人の地位が、武士の地位と相竝び、或はそれを實質的に支配するやうになるといふことは、町人の地位を少くとも武士の地位と同じ地位にある事を認めざるを得ざらしめるからである。そしてそのことは、同時に町人より高い身分にある百姓、工人の地位を町人の名に於いて高めることに外ならぬからである。かくして町人の社會的地位が高まるといふことは、實質的には身分的階級制度の打解崩潰とならざるを得ない。こゝに於いて凡ての身分階級は平等であるといふ主張が正義の主張となつて現れる。而もその正義の主張を代表するものは町人階級に外ならぬのである。而もそれは武士階級の支配の下にある百姓階級工人階級の支持の下になされたのである。これに對して從來の指導階級である武士階級は既に社會の非生產的な徒食階級に墮し、その指導性を失ひ、實質的社會的根據を既に失つてゐる。かくしてらしくあることの正義、言ひかへれば、身分階級のみの間に於いて正義として認められてゐたことは破られ、すべての身分を包むところの一般的正義の主張が生れたのである。ところが、この正義の主張は元來町人階級の傳統に根ざすものであり、實質的には町人階級の正義である。それは本質には經濟的生活に於ける自由を要求する正義である。

ともあれ封建的身分道德はその永い歷史的傳統にもかゝはらずくつがへされ、而もそれをくつがへしたものは、封建制度内に於いて、町人の道德として町人階級の傳統として町人階級にのみ妥當してゐた傳統に外ならないのである。勿論この傳統も身分階級のみに妥當する道德から凡ての身分を拘束する道德となることによつて、必然的に身分道德的性格を失ひ、特殊性を脫し普遍的性格を有つやうになると共に、國民全體の追求すべき理念として承認されるやうになつたのである。

このやうにして、もと商人階級そのものゝ傳統に根ざしてゐた自主獨立、自由なる理念は、歷史的事態の變化とゝもに商人階級が全體としての社會的場に於て重要な位置を占めるやうになると共に、漸次に全體の理念に迄高められるに至つたのである。言ひかへれば、商人階級が國民協働體の全體の方向決定に有力に關與するやうになると共に、それによつて强く支持されてゐた傳統が、對立せる部分の傳統との力學的緊張關係を通じて全體の理念に迄高められ、社會的場に生起する一切の事柄、更に人格をも評價する全體の傳統となつたのである。而もかゝる價値の轉換は、國民なる社會的場に於ける指導的部分の變化、更代によつてもたらされたものに外ならぬ。しかし指導的部分の傳統がどうして全體の理念に迄高められるのであるかといふことは、それが全體の方向決定にあづかること大であるといふこと、言ひかへれば、それが全體の向ふべき方向の決定に重要な役割をなしてゐるといふことのみが説明する。

こゝに指導的部分に對する尊敬は生れ、この尊敬に基いて、その態度を見習はうとする傾向が必然的に生れて來るのである。言ひかへれば、それが理想として人々の目に映るのである。この成員の評價の仕方の更新から、指導的部分の思想感情は、場に於ける一層低い、言ひかへれば、全體の方向決定に關與することの少い部分協働體の態度をきめるものとなるのである。從つて或時代に於て尊敬をかち得て來た特定の部分も、他の時代には全體からの尊敬をから得ないといふこともゐるのである。さうしてそれをきめるものは人のいふやうに、時代の流れであり、この流れの方向を規定する全體的協働體の合成ヴェクトルそのものに外ならぬ。しかしこれと雖も、指導的部分の傳統が、全體の理念に迄高められることによつてなされる事に外ならぬ。特定の部分に於ける傳統、卽、無自覺的運動が自覺的運動となつて全體の場に展開する事によるに外ならぬ。このことからも部分間の現實的な力學的緊張關係に基いて特定の部分の傳統が歴史の表面に現れて來ること、歷史の表面に現れて來る傳統は夫々の事態に應じて或る特定の傳統に外ならぬことも自づから理解せられるであらう。しかしかうした自覺的運動の背後には、無數の無自覺的運動があつて、それを拘束してゐるのである。社會的場に展開する運動はその深い層の安定せる指力線によつて拘束されてはゐるが、それは矢張り時代の動きを見せてゐる。歷史家の描く歷史に於て見られるものは、この深い地盤に根ざす樹木の言はゞ葉であり華に外ならないであらう。われわれは文化の華の背後に一層深いところにその根の擴がつてゐる地盤のあることを忘れてはならぬ。國民協働體が悠久の昔から守り來つてゐるその方向はひと〴〵には知られない。知られるのは悠久の歷史の方向の言はゞ偏向だけであり、先立つ方向との進路の違ひだけである。

八、國家と傳統

一

一般に國民の文化的傳統に根ざすわれわれの日常の行動は、われわれがその一部をなしてゐる國民なる社會的場に屬する凡ての成員によつて是認され肯定されてゐる行動として當然のことゝしてなされてゐる。國民の文化的傳統は、國民一般によつて神秘的承認によつて內面的に是認せられてゐて、誰もそれについて批判しようとはしない。それは反省によつて干渉されずに無條件的に受容れられて、個人の行動を拘束してゐる。それは特定の目標を目指すものではあるが、その目指すところのものは一般に自覺されてゐない。然し社會的或は個人的な生の危機に於てわれわれの考へ方を支配し抽象の世界から現實の世界へ歸るやうに導き、危機を超克するを得しむるものはこれである。それは社會存立の爲の不可缺の條件であり、特定の社會にその固有の性格を與へるものはこれである。

國民の文化的傳統に根ざすわれわれの信念は、生の最も深いところに根ざし、われわれによつて內面的に是認されてゐる原理として、自覺されてゐないのを通則とする。われわれの信念は、それが他者によつて當然のことゝして承認せられてゐる限りに於て自覺せられない。それが自覺されるのは、それが他者によつて受容れられず、運動の進路が阻まれるやうな或特殊な場合に於てだけである。といふのは、若し他者によつてわれわれの信念が其儘に是認せられ、運動が障害につき當ることがないならば、ひとは自明のこ　ゝして從來のしきたりを固守し、既存の目標に向つてわき目もふらず突進むであらうからである。從つて無自覺的信念が自覺的信念に迄高められるためには、先にみたやうに、他者の行動が無自覺運動をさへぎる力として作用するといふことがなければならぬ。このことがひとをして自らを振りかへらしめ、無自覺的傳統を自覺的理念に迄高めしめるのである。といふのは、それが人格の深い根柢をなしてゐるやうな場合には、よしそれが現實的には他者によつて是認されなくても、是認さるべき筈であるといふ信念を振起せしめずにはおかないであらうからである。これが新なる運動の原動力となる。といふのは、かうした場合、無自覺的傳統は自覺された理念として、他者の容認を迫る運動として展開するに至るであらうからである。これ凡て文化が社會的場に屬する要素と要素との對立せる力學的緊張關係を通して生成せられる所以であり、國民の文化的傳統が國民なる場を構成する部分間の對立せる力學的緊張關係を通して更新生成せられる所以である。

しかしかうした凡ての現象は現實的には、國民なる社會的場に於て生起する現象に外ならぬ。言ひかへれば、それは國家の法の支配する場に於て生起する現象に外ならぬ。現代に於ては、社會的場に生起する如何なる運動も、國家の法の拘束から自由であることは出來ぬ。では國家の法律と國民の傳統とは如何なる關係にあるのであらうか。

國家の法と國民の文化的傳統とが如何なる關係にあるかとは、力學的には法と傳統とは機能的には如何なる關係にあるかといふ事に外ならぬ。ところがわれわれは今迄傳統といふ概念によつて、國民の凡ゆる文化的傳統、政治的、經濟的、軍事的、宗教的、科學的傳統など、凡ゆる文化的傳統を意味せしめて來た。かうした意味に於ては國家の法も又國民の文化的傳統の一領域を構成するものに外ならぬ。從つてわれわれが今迄傳統に就て述べた事は、國家の法に就ても言はれなければならぬ筈である。しかし法は無自覺的傳統ではなく、自覺的傳統とも言はるべき獨自の性格を持つてゐて、その拘束力も無自覺的傳統の拘束する仕方とは全く異つた獨自の仕方によつて發動し、その諸他の文化的傳統に對して與へる影響には非常に大なるものがある。法に對する理解なくしては、現代に於ては、敎育にせよ、宗敎にせよ、或は思想にせよ、如何なる文化に就ても論ずることは出來ない。これわれわれが今こゝに法と傳統との問題を取上げてその機能的關係を明かにしようとする所以である。

法は現實的には行動を拘束する力として認識せられる。法の法たる所以は、それがそれ自體かゝる拘束力を具有するところにある。現實的には法とこの拘束力とは引離すことの出來ないものであり、力のない法はもはや法ではない。といふのは、法は成員の行動を拘束する力を有する限りに於て現實的法たり得るからである。しかも法のこの成員の行動に對する拘束力は、具體的には違法に對する制裁によつてその現實性を保證してゐる。註 從つて普通には違法に對する制裁によつてその現實性を保證してゐるといふことが、法を他の文化的傳統と區別せしめる法の獨自の性格として認められてゐる。しかしこれは法だけの性格ではなく、國民の凡ての生ける文化的傳統の有する性格に外ならぬ。

註　尾高朝雄著　實定法秩序論　岩波書店
　　尾高朝雄著　國家構造論　岩波書店

一般に國民の文化的傳統は國民なる社會的場に屬する成員の行動を拘束する力を有するものであつて、習俗にしても、言語にしても、宗敎にしても、道德にしても、科學にしても、哲學にしても、それが現實的に行はれてゐる傳統である限りに於て、成員の思想感情行動を拘束するものである。然しこの拘束力はわれわれがそれに從つて行動してゐる限りに於て、われわれには拘束力としては感ぜられない。たゞわれわれがそれに反するやうな行動をする時、拘束力は始めて發動する。傳統の有する拘束力は、それを破るとき必然的に生ずる內的並に外的制裁によつて知られる。社會のあらはな制裁がなくても、ひとは國民の文化的傳統に背くやうな思想を懷き、或はさうした行動をなすとき內的不安に陷り、良心の呵責を受ける。制裁は凡て拘束力を有する國民の文化的傳統のそれを破る行動に對する反應に外ならぬ。從つて制裁によつてその現實性を保證してゐるといふことは、何も法にのみ限られたものではなく、文化的傳統一般の有する性格に外ならない。それを破るやうな行動に對する制裁は現實的な國民の文化的傳統一般の必然的機能である。たとへば約束を守らないといふやうな道德的規範に對する違反にしてもこれを國民の文化的傳統から抽象された形態に於てとらへる時は制裁を伴はないかのやうに見えるかも知れないけれども、それが行動を現實的に拘束する力を有する限りに於て、言ひかへれば、生きた規範である限りに於て、少くとも内的な制裁を伴ふと言はなければならぬ。元來制裁は夫々の事態に應じて、ひとによつてなされることが社會秩序を亂すその程度に應じて異るものである。制裁の强度はそれが場の指力線の方向からそれる偏れに比例して大となるだけのことであつて、何等かの意味に於て制裁を伴はないやうな規範もなければ傳統もない。このやうに法と國民の文化的傳統との區別は結局は程度の相違に歸せられる。それは機能的には同じものである。たゞ法はこの機能を國家の特定の機關を通してなすだけである。即違法に對する制裁は法の定めるところに從つて嚴正適確に裁判官とか警察官などを通して强制手段によつてなされる。法の制裁の特異の點は、違反行爲に對して他の文化的傳統が言はゞ自動的に反應するのに對して、法はかうした自動的反應に代つて、これを或程度抑制して、法によつてきめられた規定に從つて公正適確になす點にある。といふのは、他の文化的傳統に基く制裁は非組織的であり、群集の激昂によつて、その時時の事態によつて統一を缺くがためである。といつても、社會自身によつてなされる機能が凡て法によつてとつて代られるのではない。法による制裁の根柢には輿論による社會の制裁がなければならぬ。それを破るとき、社會の非難を蒙らないやうな法は、如何にそれが强制されても、國民の行動に對する拘束力は薄弱であると言はなければならぬ。法の制裁は事實に於ては、世間を騷がせるやうな出來事に對する輿論の反射に過ぎない。さうでないならば、制裁は國民をして心服せしめないであらうし、法は法としての尊嚴を缺くであらう。かうした意味に於て、法は國民の文化的傳統を前提とするものである。といふのは、輿論は特定の文化的傳統の支配する場に於て生起する事件に對して、傳統の拘束下にあるひと達の反應に外ならないからである。われわれは此點に就てもつと精しく考へてみよう。

　一般に犯罪は世間を騷がせひとびとを不安ならしめるものであるが、この不安ならしめられ動搖せしめられた人心がその不安動搖から囘復し、平常の狀態に歸るためには、どうしても犯罪の責任者を見付け、これに制裁を加へることによつて法の不可侵性が一般に再確認されなければならぬ。卽法はその現實性を制裁によつて確證しなければならぬ。しかし制裁がなされるためには、フォコネも言つてゐるやうに受刑者が見付けられなければならぬ[註]。ところが、ひとは受刑者を人爲的にでたらめに選ぶことは出來ない。受刑者は誰もが犯罪の責任者であることを疑はないやうなものでなければならぬ。その犯罪に對應せる諸條件を備へてゐると、ひとびとの考へるものだけが受刑者として責任のない群集から引離される。だがどうしてひとは受刑者を責任のない群衆から引離すのであるか。

註　Paul Fauconnet; La Pesponsabilité

一體われわれが犯罪の責任者に對して非難、輕蔑、嫌惡の態度をとるのは、犯罪によつて惹起せしめられた、怒らせ、怖れさせる、不安な情動的性質を犯罪の責任者に移すがためである。ひとが特定の感動を、さうした感動を生ぜしめるその對象の性質となすがためである。制裁はかうした性質を有するものと信ぜられてゐる犯罪の責任者に對してなされるのである。刑罰を構成するものは、この怒りと恐怖の發現である。犯罪によつて惹起せしめられた不安、恐怖、怒りの感動が誰が責任者であるかとの問ひを投げかけ、ひとをして犯罪の責任者を探さしめるのである。制裁は本質的には犯罪によつて惹起せしめられた集團的感動の犯罪の責任者に對する反應に外ならぬ。だから犯罪によつて惹起せしめられた動搖と不安と恐怖とは必然的に或特定の方向に向つて受刑者を探すのである。だから法の制裁が可能なるためには犯罪によつて社會が動搖せしめられ、人心が不安ならしめられるといふ事實がなければならぬ。或はかういつてもよい、ひとびとが犯罪の責任者に對して輕侮、恐怖、嫌惡の感情を禁じ得ないといふ事實がなければならぬ。かうした社會的現實的地盤に於てのみ法の制裁は可能となる。言ひかへれば、法はかうした地盤を背景としてゐるときにのみ現實的法たり得るのである。だからよし犯罪の責任者に對して刑罰が加へられなくても、ひとがその責任者に對して示す輕侮、恐怖、嫌惡の態度は、ひとのいふやうに、それ自體一つの制裁であつて、刑罰はこの態度の一つの現はれに外ならないのである。ところが、この犯罪の責任者に對して示すかうした態度は、先にも述べたやうに犯罪によつて惹起せしめられた感動が責任者に移される事によつてとられる態度に外ならぬ。だから犯罪の責任者に制裁が加へられるのは、本質的には彼がひとびとにかうした不安、恐怖の感情をよび起したといふことにあるのである。未開社會に於ては不安恐怖を惹起せしめた、或はせしめる、事物さへも責任が問はれるのである。だが何がひとびとを怒らせ怖れさせ不安ならしめるのであるか。

凡て社會には如何なる社會にも、してはならぬこと、犯してはならぬことがある。それを犯す時、人心は激昂し、不安ならしめられるやうな犯してはならぬことがある。もし社會にそれを犯す時、ひとびとを怒らせ、不安ならしめるものがないならば、ひとはその責任者を探しもしないであらうし、又責任者に對して輕侮、嫌惡の態度を示すこともないであらう。從つて法の制裁の背後には、それを犯すとき必然的にひとびとを不安ならしめるやうなタブーとせられてゐることがなければならぬ。さうでなければ、法の制裁は單に形式的なものとなつてしまふであらう。ところが、何がタブーとせられるかといふことは、その集團の傳統によつてきめられてゐるのである。傳統に從ふことは善いことであり、これを破ることは惡いことである。傳統によつてひとのなすべきことゝ、なしてはならぬことがきめられてゐる。だからこれによつて人格の評價はなされるのである。制裁は實にこの人格の評價の表現に外ならぬ。ひとはそれを基準として人格を評償するのである。傳統を破るひとは非難され、輕蔑され、嫌惡され、それに從ふひとは讃美され、賞讃され、敬愛せられる。誰が犯罪の責任者であるかと尋ねることは、報いに相應しい者を求めることである。さうして、かうした成果をその作者に歸する判斷は、いつも或程度尊敬と輕蔑を表はし賞讃と非難の態度を伴ふものである。制裁は道德的實踐的判斷を含んでゐる。

ひとが傳統に反するやうな行動をなすひとに對して示す反感と嫌惡の情は宗教的に汚れたものに對して感ずるそれである。だから、ひとはさうしたひとを自分たちの仲間を汚すものとしてはじき出さうとする衝動を感ずるのである。犯罪の責任者が社會からつまはじきされるのはこれがためである。かうした原始的とも言はれ得るやうな感情が法の制裁の背後には存するのである。

だから法が制裁によつてその現實性を保證してゐるといふ事が眞實であるとするならば、かうした制裁を可能ならしめる地盤としてひとびとによつて當然のことゝして承認されてゐる道德的傳統がなければならぬ。それはたゞに法によつてきめられてゐるからしてはならぬといふのではなくて、それを犯す時、ひとびとが不安に陷り動搖せしめられるやうな人格を根柢からゆり動かすやうな或ものが存するのでなければならぬ。さもなければ、法はその實踐的地盤を缺くことゝなる。道德的規範が制裁を伴はないどころではなく、道德性の存在そのものが保證せられてゐるのは、たゞそこに制裁があるといふ條件に於てである。といふのは、ひとびとを不安ならしめ動搖せしめるやうな行動は、それが自分によつてなされやうが、他人によつてなされようが、ひとを不安ならしめ動搖せしめるであらうし、社會の制裁の前に自己の内心に於ける道德的制裁がある筈であるからである。かうした意味に於て、法は生ける國民の文化的傳統によつて基礎づけられてゐる限りに於て現實的法たり得るのであると言はなければならぬ。これが法をして現實的法たらしめる不可缺の條件である。

このやうに法の國民の行動に對する拘束力は、よしそれが違法に對する制裁に由るとしても、制裁する力は法がたゞ單に適法の手續を經て設定せられたといふことだけから生ずるのではなく、法によつてきめられてゐる事に從ふことが本質的に善いことであり、それに反することは惡いことであるといふことが國民によつて當然のこととして承認せられてゐるといふことから來るのである。それに從はないとき誰でも内的不安に陷れられるやうな内容を法が表現してゐる限りに於て制裁はその實質的地盤をもつことが出來るのである。かうした意味に於て、法の拘束力は本質的には國民の傳統に由來すると言はなければならぬ。又さうであればこそ、法は違法に對する制裁によつて國民の文化的傳統を守護するといふ機能をはたすことも出來るのである。

然しながら法の拘束力が國民の文化的傳統に由來するといつても、國民なる場の特定の部分の傳統が其儘に法となるのでもなければ、それのみが法の實質的地盤となるのでもない。ひとは法が國民の文化的傳統を豫想するといふ場合、國民の文化的傳統の單一性を豫想する。しかしながら國家は現實的には文化的傳統を異にする種々の民族的集團から成立つてゐる。從つて法が特定の部分に對して拘束力を有するだけではなく、國家を構成する凡ての部分に對して拘束力をもつてゐるとするならば、法の拘束力は特定の部分の傳統にのみ由來することは出來ないであらう。よし法に於て國家を構成する特定の部分の傳統が他の部分の傳統に對して指導的位置を保つてゐるといふ事が眞實であるとしても、法はそれが國家の法である限り、特定の部分の傳統にのみ根ざすものであることは出來ぬ。といふのは、國民のどの部分にとつても、それ自らの傳統に根ざす限りに於て法は拘束力をもち得るであらうからである。言ひかへれば、如何なる部分にとつてもその部分の傳統に根ざす限りに於て法は現實的たり得る筈であるからである。從つてこゝに一つの困難な問題が生ずる、卽法が國民の文化的傳統に根ざす限りに於て現實的力たり得るとしても、國民なる場が文化的傳統を異にする種々の部分から成立つてゐることが事實であるとするならば、法は如何にしてそれら傳統を異にする部分に對して拘束力をもつ事が出來るのであるか。われわれが法が國民の文化的傳統を豫想するとの命題の下に、國民の指導的部分をなす特定の民族的傳統のみを理解する限りに於て、われわれは從屬的部分に對する法の拘束力を説明することは出來ぬ。從つて法が國民なる場を構成する凡ゆる部分に對して拘束力を有するとすれば、それはたゞに指導的部分の傳統に根ざすだけではなく、從屬的部分の傳統にも根ざすものでなければならぬ。これ國家が傳統を異にする種々の部分から成立つてゐる限りに於て、又法がこれら異つた傳統を有する諸部分を一つのまとまつた全體たらしめるための必然的制約として制定せられ設定せられるものである限りに於て、法の具有しなければならぬ必然的な條件でなければならぬ。では法は如何にして國民なる場を構成する指導的部分の傳統のみではなく、他の從屬的諸部分の傳統にも根ざすことが出來るのであるか。言ひかへれば、同時に全く異つた諸傳統に根ざすことが出來るのであるか。

われわれは問題を單純化するために國家が特定の文化的傳統を有する單一な民族的集團だけから成立つてゐる場合に就て考へてみよう。ところがこの場合でも、國民なる場は嚴密には同一の文化的傳統が一樣に支配してゐる場ではなく、文化的傳統を異にする種々の部分から成立つてゐるのである。このことは國家成立の歴史からも知られるであらうが、さうした問題に立入らなくても、若し國家が同一の文化的傳統が同じやうに全體を支配してゐる全く齊一的な部分から成立つてゐるとすれば、どうして文化的傳統が自覺的運動として展開するに至るのであるかといふことは理解せられないであらう。それが自覺的運動として進展せざるを得ないのは、先にもみたやうに、それを其儘には承認しないそれに對立する部分の制約があるからである。從つて法が國民なる社會的場に展開する自覺的運動によつて設定せられるものである限りに於て、法の拘束力が傳統に由來するものであるといつても、特定の部分の傳統が其儘に法となるのでもなければ、特定の部分の傳統だけが法の地盤となるのでもないといはなければならぬ。法の地盤をなす傳統は、ひとがともすれば考へるやうに、動かない固定せるものではなく、部分間の力學的緊張關係を通して常に生成し更新しつゝある國民の生きた文化的傳統でなければならぬ。さうであればこそ、法は國民なる場を構成する凡ゆる部分の傳統に由來するものとして、傳統の相違にもかゝはらず、凡ゆる部分に對して拘束力を持つことが出來るのである。

従つて國家が新なる領土を獲得し、特定の文化的傳統を有する部分が國民なる場を構成する要素となるやうな場合には、これら新な部分に既存の法が適用され得るためには、新な部分の傳統に適合するやうな形態をとるとともに、既存の構成部分の傳統、卽國民なる社會的場に於て現在指導的地位を占めてゐる部分の傳統は、何等かの形に於て新なる構成要素の傳統にしみこんで行かなければならぬ。かうした場合、指導的部分の傳統が、新たに編入された部分の傳統に浸みこんで行くのは、いふ迄もなく運動としての形をとつてゞある。しかし指導的部分の文化的傳統が文化的傳統を異にする部分に入り來るためには、民族的傳統に特有な偏狹性は國民なる場の擴大とともに破られ更新せられなければならぬ。しかもこのことがなされるのは、新たなる部分の傳統に根ざす要求を受容れることによつてゞあり、部分間の力學的緊張關係を通してに外ならぬ。實にこの故に、指導的部分の傳統は國民なる場の擴大と共に、その偏狹性を破り、自覺的運動として展開されるのである。しかし、國民なる場の指導的部分から發する運動は從屬的部分の境の中に入り來るとゝもに、必然的に特定の偏りが與へられ、丁度光線がその通過する媒體によつて屈折するやうに屈折してはいつて行くのである。といふのは、運動は受容れられる事によつて特定の偏向が與へられざるを得ないからである。しかしかうした運動が展開し得るためには、指導的部分の傳統と從屬的部分の傳統との間には何等かの共通の要素がなければならぬ。言ひかへれば、共通の關心の對象となるところのものがなければならぬ。さもなければ、それらは何等の接觸點を持たず、丁度特殊な媒體に向けられた光線のやうにそのまゝに反射して媒體の中を通過することは出來ないであらう。從つて指導的部分から從屬的部分へと押寄せて來る運動は、それら部分が、國民なる場を構成する要素として關心を持ち得るやうな文化的傳統だけに限られることゝなる。言ひかへれば、指導的部分によつて保たれてゐる文化的傳統の中、或特定の傳統だけが、對立せる部分との力學的緊張關係を通して自覺的運動として展開されるのである。從つて指導的部分そのものについてみても傳統の更新といふことが必然的になされなければならないのである。言ひかへれば、傳統を異にする對立する部分との力學的緊張關係を通じて民族的集團特有の無自覺的非合理的な文化的傳統は自覺的合理的な文化的運動として展開するのである。實にこの運動が既存の法を修正せしめる實踐的地盤を形成するのである。從つて法の直接的背景をなす文化的傳統は對立せる部分間の力學的緊張關係を通して生成しつゝある國民の文化的傳統であると言はなければならぬ。われわれは法が國民の文化的傳統を豫想するといふ場合、傳統をその生成の相に於てとらへなければならぬ。

二

一般に文化的傳統が成員に對して拘束力をもつてゐるのは、それによつて表はされてゐる要求或は命令が主體によつて承認されてゐるからである。法にしてもそれが主體に對して現實的な拘束力をもつてゐるのは、それが法として承認されてゐるがためでなければならぬ。一般に他者の命令要求は主觀的には、この承認といふ實踐的行爲を通して始めて主體に對して拘束力を持つものとなる。從つて法にしても、もしそれが主體の行動を拘束する力を有するものであるならば、それが有する要求或は命令の内容が主體によつて承認されてゐるといふことがなければならぬ。國民である限りに於て從はなければならぬ原則として承認されてゐるといふ事がなければならぬ。とこれが、ひとは法の承認といふことが現實的になされ得るためには法規の認識がなければならぬ法の内容の承認は法規の認識を前提とするといふことから、法が國民の一人一人によつて承認されてゐるといふことは現實に於てはあり得ないと主張する。しかし法が一般國民によつて承認されてゐないとするならば、法の國民に對する拘束力は理解出來ないであらう。こゝに於てひとは法の國民に對する實踐的拘束力を否定し法は國民一般を對象とするものではなく、裁判官を對象とするものであると主張する。

だが先にもみたやうに、制裁は、本質的には、ひとびとを不安ならしめ、怒らせ、恐怖せしめるやうな出來事に對する社會的集團の情動的反應の表現に外ならぬ。從つて違法による犯罪がかうした社會的反應を生ぜしめることがないとすれば、よし形式的に法の定めるところに從つて制裁がなされるとしても、制裁によつて法はその現實性を保證することは出來ないであらう。從つて法が現實的である限りに於て、少くとも法の內容をなすところのものが、國民一般によつて受容れられ、承認されてゐるといふことがなければならぬ。さもなければ法は國民一般に對して拘束力をもつことは出來ず、制裁によつてその現實性を保證することは出來ないであらう。

一體法が一般國民によつて承認されてゐる限りに於て拘束力をもつものであるといつたところで、何も國民の一人一人が法規の文句を悉く知り、その上にそれを承認しなければならぬといふことはないのであつて、われわれは租税に對する法規の內容が如何なるものであるかといふ事も知らないし、徴兵の義務に就ての規定さへも、それが如何なる文句であるかを知らない。にもかゝはらず、それを法として承認し、それに從ふことを國民の義務と心得てゐる。さうしてこれこそ法をして拘束力あるものたらしめてゐる現實に外ならないのである。ではこの一々の法規は知らなくても、又知らないひとに對しても法がかゝる拘束力を有するのは何故であるか。それは國民として從はなければならぬ事が、國民としての實踐的生活を通して承認されてゐるがためでなければならぬ。法に對する承認は單なる認識の事柄ではなく、生活に於ける實踐の事柄に外ならぬ。ひとが特定の事態の下に於て國民なる社會的場に屬する成員としてしなければならぬ事といふものは、他者との人格的交渉を通して實踐的にはわれわれに知られてゐる。もしこのことがないならば法の生活に對する拘束は成立つことは出來ぬ。從つて法の國民に對する拘束力が、その實踐的承認を通してゞあるといつても、國民の一人々々が法の文句を認識しその内容を承認するのではない。この意味に於て、法の承認は常に必ずしも法令の認識を前提とするものではない。

一般に承認といふ實踐的行爲が、規範の主體に對する拘束力を生ぜしめる爲に缺くことの出來ない條件であることが眞實であり、多くの法規は國民に一般に知られてゐないにもかゝはらず、國民の生活を規正してゐるといふことが事實であるとするならば、法が國民に對して拘束力を有するのは、法の命ずるところのものが、實質的には國民なる場に於ける他者との人格的交渉を通して實踐的に承認されてゐるがためでなければならぬ。では如何にして法令を知らずして而も法を承認するといふことが可能であるか。これに對してわれわれは一應かく考へることが出來る。一體法規によつて定められてゐるところのものは、國民生活を規正する條件のうちのほんの一部にすぎない。だからひとは法規の文句を知らなくても、それに從ふことが出來るし、又法規の文句を知らなくても法を承認してゐるのであると。言ひかへれば、法によつて定めるところのものは、國民として從はなければならぬ根本原則を表してゐるに過ぎないから、法令の認識如何にかゝはらず、われわれは國民なる場に於ける他者との人格的交涉の現實に於て、實踐的に法を承認してゐるのであると。かうした見地から、法は國民の實踐的生活を現實的に拘束してゐる國民の文化的傳統の言はゞ外側にめぐらされてゐる柵であり越えてはならぬ最大限の圍ひになぞらへられる。だからひとは、この柵の內部に止まつてゐる限り、法の拘束を意識しない、ひとは法があるかないかにも氣がつかないのである。けれどもこの柵が强固であるか或はそれから平氣でぬけ出すことも出來るやうな柵であるかといふことによつて、その柵の內部に生活する成員の行動を拘束する力は全く異つたものとなる。言ひかへれば、法なる社會的條件が嚴格に實力をもつて保たれてゐるかどうかといふ事は、國民生活に於て一般に容認されてゐる國民の從ふべき文化的傳統の拘束力に大きな關係をもつてゐると。

このやうにわれわれは、法の國民に要求するところのものが、國民がその現實生活に於て承認してゐるところのものゝうちに含まれてゐるといふことから、法令の認識如何にかゝはらず、法は國民によつて實踐的に承認されるものであると考へることも出來る。然しながら、若し法の具體的內容をなすところのものが國民なる場に屬する成員相互の人格的交涉に於て國民の一人々々によつて行動を通して承認されてゐるとするならば、尙ほその上に法を設定し公布する必要が何處にあらうか。法が設定せられるといふことは、國民の從ふべき根本原則が確立せられることであり、法が公布されるのは、その原則の承認を國民に迫ることに外ならぬ。さうして實にこの事が法が國民なる場に屬する成員相互の現實的交涉を規正する楔機ともなるのである。といふのは、法の公布は國民一般の承認を迫るのであるが、承認を迫るのは、未だ法として一般には承認されてゐないがためでなければならぬからである。勿論國民の多數者は如何なる法が如何なる理由で制定され公布されたかも知らないであらう。しかしそれが制定され公布される限りに於て、少くとも國民の指導的部分によつては受容れられ承認される筈である。實にこのことが法をして一般國民の人格的交涉を現實的に規正することを可能ならしめるのである。といふのは國民の多數者は、それを認識しそれを承認してゐるひとたちと現實的交涉をもつとき、必然的にそれを知らしめられ、承認を迫まられそれによつて行動は制約されるであらうからである。又よしこのことがなくても、違法に對する制裁によつて法の嚴存を嫌應なしに知らしめられるであらうからである。このやうに法を認識し承認せる他者との人格的交渉によつて法は國民の多數者の間に浸透してゆくのである。これが現實の事實である。この意味に於て法の承認は法の知識を前提とするものである。法の拘束力は現實的には法を法として承認することによつて始めて成立つ。しかしこのことから國民の多數者は法の認識を缺くがために、法は國民の多數者によつて承認されてゐないといふのは間違つてゐる。ひとは國民なる場に於ける他者との人格的交渉を通して嫌應なしにそれを承認すべく餘儀なくされるのである。然しそれは法が國民の他の文化的傳統の上に屋上屋を重ねたものであるがためではなく、言はゞ自覺された國民の傳統として、それを支持し承認せる部分との現實的交渉によつて、法の精神は國民の内部に浸透するがためでなければならぬ。法が不知を許さないのも、法の内容が國民一般によつて現實的に知られてゐるがためではなく、知らるべきものであるが故に不知を許さないのである。といふのは、法は國民一般の實踐的承認によつて始めてその現實性を獲得することが出來るからである。この意味に於て、法が現實性を獲得するのも運動としてそれが展開することによつてゞあると言はなければならぬ。法の權威は國民の一般的承認によつて裏附けられなければならないし、又事實それが現實的法である限りに於て裏付けられてゐるのである。だから内外の事態の變化によつて、新なる法が制定せられるやうな場合には、國民一般の現實の事態に對する認識を深めることが要望されるのである。この場合法令の一一の文句の認識が問題となるのではなく、現實の事態に對する深き洞察に基く協力が問題となるのである。法はたゞにそれに背くものに對する制裁を規定することによつて、間接的に國民にその向ふべき方向を指示するだけではなく、直接的に法の定むるところの方向に向つての積極的な國民の協力を要求さへするのである。かうした意味に於て、法は新なる傳統を創りさへする。このことはたとへば、義務敎育の制度、徵兵の制度、或は統制經濟の制度についてみれば明かであらう。然しながら法が新なる傳統を創ることが出來るといつても、それは國民の文化に於てかゝる方向を指示するものがある場合に於てのみなされ得るに過ぎぬ。言ひかへれば、國家は法の力によつてその方向を助成し、それに背くやうな方向を抑制することが出來るだけである。といふのは、法の定めるところのことはあく迄も國民の實踐的承認によつて現實性を獲得することが出來るのであるから、法が强制手段によつて抑制し得る範圍には自から限度がなければならないし、又必然的に限度があるわけであるからである。それは一般國民によつて承認されてゐる方向を支持し、それに反する方向を阻止し得るだけである。卽それは現實の事態に於て當然進むべきであると一般に容認されてゐる方向を指示することが出來るだけである。これ法の拘束力が國民なる社會的場に展開しつつある運動、生成しつつある國民の文化的傳統に由來するものであるがためにである。

然し乍ら法の指示する方向が國民一般によつて當然のこととして承認されてゐる方向である限りに於て、法は國民に對して拘束力をもつ事が出來るとしても、從つて法の指示することの出來る方向も、生成しつゝある國民の文化的傳統そのものゝ現實的に志向してゐる方向だけに限られるとしても、現實に於ては國民なる場に展開しつゝある文化運動の指示する方向と法の指示する方向との間には特定のずれの存することがありはしないか。否法の制定を必要ならしめるのは、かうした事態の下に於てゞはないのか。法が生成しつゝある國民の文化的傳統に對して、或一定の方向を指示しようとするのは、少くとも或る場合にはその儘に放任するときは、それが社會の秩序を亂し、國民的團結の障碍となる可能性が存するがためではないのか。從つて法の拘束力が國民の生成しつゝある文化的傳統に由來することが眞實であり、それなくしては法は現實的法たり得ないとしても、國民なる場に現實的に展開しつゝある文化運動は常に必ずしも法の指示する方向を目指してゐないとすれば、法のかゝる運動に對する拘束力は一體何に由來するのであるか。然しこの場合に於ても、法のかうした運動に對する拘束力も、國民の生成しつゝある文化的傳統以外のものに由來することは出來ぬ。さうであればこそ、この運動に基いてかへつて法が修正せられ、改正せられるといふ事も可能となるのである。又それを現實に支持する力があればこそ、法はそれに背く運動を拘束することも出來るのであり、それに對する拘束力も、この運動によつて對立する運動が呼び起され、この部分間の力學的緊張關係を通して全體の向ふべき方向がきめられるがために外ならぬ。從つて法令はその時々の事情によつて變へられなくても、國民なる場に展開する運動によつて異つた解釋をなされるやうにもなるのである。從つて法が生成しつゝある國民の文化的傳統に對して指示することの出來る方向は、生成しつゝある文化的傳統そのものゝ目指してゐる方向以外のものではないと言はなければならぬ。それにもかゝはらず、それらの間に特定のずれの存する事があるのは、現實的には運動は對立せる部分間の力學的緊張關係を通して、展開せられるものであるがためである。

このやうに法の背後には、常に生成しつゝある生きた國民的傳統があつて、それを支持してゐなければならぬ。法はかうした國民的地盤から生れたものである限りに於て現實的たり得る。といつても、生成しつゝある國民の文化的傳統そのものが法なのではない。法はそれを地盤として生れたものであり、國民なる場に展開する文化運動を通して設定せられたものに外ならぬ。勿論凡ての文化運動が直接的に法の設定を目指すものでないことはいふ迄もない。法を設定するといふことは、國家の實力によつて確保すべき社會存立のための不可缺の條件を設定することに外ならぬ。ところが國家の實力によつて確保すべき社會存立のための根本條件は結局國民全體の向ふべき方向によつてきまる。從つて國民の向ふべき根本的方向が本質的には國民の文化的傳統によつてきめられるものに外ならないとするならば、法の拘束力は根源的には國民なる社會的場に展開する運動に由來すると言はなければならぬ。といふのは、先にもみたやうに、凡て文化的傳統は特殊目標を追及する第二次的協働體として、國民協働體の方向決定に關與する限りに於て實踐的力たりうるからである。從つて全體としての國民協働體そのものゝ方向が如何なるものであるにせよ、それは根本的にはこれら多種多様な文化的傳統の合成力によつてきめられてゐると言はなければならぬ。法によつて確保せられる國家の方向は、その自覺せられた形態に於てゞあるとも言はれよう。

三

然しながら法が制定せられるといふことは、これら運動の指示する特定の方向が、國家の實力によつて確保せられることを意味するとするならば、從つて特定の方向が國家の實力によつて確保せられるのは、それが國民なる場に展開する運動が現實的に指示する方向に外ならないがためであるとするならば、國家の實力によつて、國民がその方向からそれることのないやうに、それを制約する條件を設定する必要が何處にあるのであらうか。どうして國民を特定の方向に向はしめるやうな條件を國家の實力によつて確保しなければならないのであらうか。

この問題はわれわれが國民の文化的傳統を單一な流れとして解する限りに於て、應へられない。然し乍ら現實に於ては、國民なる社會的場に展開する運動は、多樣なものであり錯綜してゐる。それら全體の合成せる力によつて國民協働體の方向は規定せられ、それによつて押進められてゐるのではあるが、それら無數の流れは、先にもみたやうに、特殊目標を追及する協働體として、相互に他の協働體を制約し、制約され乍らもそれ自體の固有の方向をたどらうとしてゐるのである。從つてひとは、その流れに身をゆだねる限り、言ひかへれば、その特殊協働體の焦點に自らを置く限りに於て、特定の立場に於て一切を評價しようとする。言ひかへれば、國民なる社會的場に展開する運動、常に生成しつゝある國民の傳統は、ひとびとにそのよつて立つ地盤を提供することによつて、ひとをして或る特定の立場から世間を眺め、世界を評價することを可能ならしめてゐるのである。從つて或特定の立場に立つ限りに於て、必然的に承認されることも、他の立場に立つときは常に必ずしも容認されるとは限らないのである。だから等しく傳統によつて行動が規正されながら、相互に矛盾し對立することもあり得るわけである。又時としてそれがために國民的團結にひゞがはいり、國民なる場の分裂に導くこともあり得るわけである。從つて國民なる場の分裂を避けようとする限り、或特定の立場に立つてこれら種々の協働體の運動を拘束する必要が生ずる。これは國民なる場の分裂を避けるための必然的な制約である。しかしこのことは、その立場が他の凡ゆる立場に對して絶對的優位を保つてゐる限りに於て可能である。この凡ゆる立場に對して絶對的優位を保證されてゐる立場こそ、國家の立場に外ならない。凡て文化運動は國民の向ふべき方向決定に關與するものであるにもかゝはらず、それ〴〵の運動が國家の壓力によつて或程度の拘束を受けるのはこれがためである。一體ひとが特定の立場に立つといふことは、世間人生一切をその見地から評價することを意味する。從つてひとが國家の立場に立つ限りに於て事物の必然性に從つて、宗教も科學も藝術も經濟も一切の文化は、國家目標の見地から評價され、國家目標の追及に役立つ限りに於て、或は少くともそれに背かない限りに於て是認され肯定される。言ひかへれば、それ〴〵の傳統は、國家の目標追及に仕へる限りに於て是認せられるのである。從つて國家は國民の文化的傳統の指示する方向をのみたどることが出來るとしても、法の保證しようとする方向とこれら運動の方向との間に特定のずれの存すること、從つてこれら運動が國家の壓力によつて特定の偏りが與へられるのは當然のことである。從つて、法の拘束力が根源的には國民なる社會的場に展開する運動に由來するといつても、國民の生成しつゝある傳統の力そのものたゞ、法の拘束力なのではない。それはたゞ法の拘束力がそれに由來すること、それに基いて生れることを意味するに過ぎない。言ひかへれば、これら運動は國民協働體の方向決定に關與する限りに於て、法を制約する地盤をなしてゐるのである。

かくしてわれわれは、他の文化的傳統と異なる獨自の領域を構成するものとして、法そのものの拘束力の究明に向はなければならぬ。といふのは、その拘束力が根源的には國民の生成しつゝある傳統の力に由來するものであつても、個々の傳統をさへ拘束する力を有する法の拘束力は、傳統の拘束力そのものゝ單なる表現ではあり得ないからである。では法の拘束力、國家の實力は直接的には如何なる力の表現であるか。といふ意味は、法の拘束力は直接的には社會的場に展開する如何なる運動に由來するかのいひである。といふのは、われわれの見解によれば、凡て社會的場に於ける成員の行動を拘束する力は、場に展開する運動、他者の容認を迫る運動以外のものに由來することはあり得ないからである。從つて問題は、法は現實的には如何なる運動を通して設定せられるかの問題に應へることによつて應へられる。ところが、われわれは普通このやうな法の設定を目指す文化運動を政治運動と呼ぶ。法は直接的には政治運動を通して設定せられるものに外ならぬ。從つてもしわれわれが述べるやうに、凡て文化運動をヴェクトルの合成せられる過程として記述することが出來るとすれば、政治運動に於ても、このことがみられなければならぬ筈である。といふのは、それはたゞ交渉を媒介する對象を異にするだけであるからである。

政治運動は法の設定を目指すものであるといふ事によつて旣に示されてゐるやうに、國家の實力によつて確保すべき社會存立のための不可缺の條件の設定を目指してゐる點に於て、他の文化運動と區別せられる。しかし何を國家存立のための根本條件として國家の實力によつて確保すべきかといふ事に就ては國家を構成する凡ての部分が常に必ずしも同一の見解意見をもつてゐるとは限らない。こゝに政治運動が他の文化運動に於けると同樣に、部分間の力學的緊張關係を通して展開せられる所以がある。といふのは、國家存立のための根本的條件として、國家の實力によつて確保すべき條件を設定するといふことは、それによつて國家の向ふべき特定の方向を承認することであり、國家の向ふべき方向を限定することに外ならず、國家全體が如何なる方向に向けられるかといふ事は、國民なる場を構成する凡ゆる部分に對して常に同樣な影響を與へるとは限らないからである。全體の方向が右に傾くか左に傾くかといふ事は、夫々の部分の生活にとつて決定的ともいふべき重大なる影響を與へる。これ政治運動が國民の凡ゆる部分の關心の中心となり、部分間の緊張せる力學的關係をはならむ所以である。といふのは、國家の向ふべき方向は、具體的現實的には法の設定によつてきめられてゆくのであり、しかもそれはそれぞれの部分の國家を特定の方向に向けんとの努力に於て生ずる力學的緊張關係を通じてなされることに外ならないからである。從つて全體の方向決定に關與する國民なる場の部分の力は、特定の方向と大きさとを有するものとして、ヴェクトルをもつて表され、運動はこれら分ヴェクトルをもつて表される諸力の合成せられる過程として記述せられる。法の國民に對する拘束力は、直接的にはそれが國民なる場に於ける政治的な合成ヴェクトルである事から來るのである。或はかういつてもよい、法はそれが國民の眞實の合成せられた政治力たる限りに於て現實的であると。しかしこのことは法の根柢には諸他の文化運動があつてそれを支持してゐること、法の拘束力が根源的には國民の生成しつゝある文化的傳統に由來するとの根本原則と矛盾するものではない。この事は政治と傳統とが社會的場に展開する運動と、これを制約する地盤との關係に立つことから自づから理解せられるであらう。先にもみたやうに、凡て文化は部分間の對立せる力學的緊張關係を通して生成せしめられるものであるが、從つてひとは文化の創造に關與する限りに於て他者と對立せる力學的緊張關係に立たしめられるのであるが、矛盾衝突は常に相互肯定の地盤に於てのみ生ずるのである。ひととひととの人格的交渉は現實的には相互に他者を自らの屬する社會的場に屬する成員として認め認められることによつてなされるのであるが、このことは實に行動をもつてひとびとの共に屬する社會的場の傳統を承認することによつてなされるのである。從つて政治的財を媒介としてなされる交渉も、それが現實的人格的交渉を通してなされるものである限りに於て、その對立にもかゝはらず他の文化的傳統は暗默のうちに承認されてゐると言はなければならぬ。實にこのことによつて、國民の文化的傳統の政治運動に對する拘束力は生ずるのである。從つて政治的交渉が社會的場の前景に現れると共に、われわれが先にその動的形態に於てとらへたところの生成しつゝあるところの國民の文化的傳統は、政治運動がそこに於て展開するところの特定の指力線の支配する場としての意味をもつことゝなるのである。これ政治運動が國民の生成しつゝある文化の方向によつて制約される所以であり、法の拘束力が根源的には、國民の文化的傳統に由來するとと言はれ得る所以である。といふのは、指力線の指し示す方向は合成ヴェクトルをもつて運動しつゝある協働體そのものゝ方向、生成しつゝある國民の文化的傳統そのものゝ方向に外ならぬからである。

四

このやうに法は國民なる社會的場の部分間の力學的緊張關係を通して設定せられるものであるから、法はそれを設定せしめた運動の力學的構造を保有してゐるわけである。從つてそれによつて國家の方向決定に對して關與したその力に應じて夫々の部分の國民なる社會的場に於ける位置は現實的に保證せられることゝなるのである。こゝに政治運動に於ける部分間の力學的關係が大なる緊張をはらむ所以がある。しかしその對立は、あく迄も國家全體の向ふべき方向を決定せんとの努力に於て生ずる對立として、部分の全體に仕へんとの見地からなされる事が要請せられる。

といふのは、國民なる場を構成する各々の部分が、國民なる場に於ける自らの位置の向上をのみ目指す限りに於て、他の犧牲に於て自らの位置の確保を目指す限りに於て、全體の心からなる協働は得られないであらうからである。これ法が現實的たるために充たされなければならぬ根本的條件である。法はそれが國民の政治力の眞實の合成ヴェクトルである限りに於て、凡ゆる部分に對して拘束力をもつことが出來るからである。從つて政治の目標は、部分間の對立せる緊張關係を通して部分間の相互依存の關係を保證するところにあるといはなければならぬ。といふのは、政治が部分間の相互依存の關係を保證するものとならない限り、對立は對抗となり、對抗は遂に國民なる社會的場の分裂を生ぜしめざるを得ないであらうからである。然し乍ら、政治がかゝる條件を充す限りに於て、それによつて設定せられた法は國民なる場を構成する凡ゆる部分に對して拘束力がもつ事が出來るといつても、法によつて凡ての部分が國民なる場に於て同一の地位が保證されなければならぬといふことをいふのではない。といふのは、法は部分間の力學的緊張關係を通して生れたものとしても、法に於て享有するところの部分の自由度は、全體の方向決定に關與するその力に應じて異つてゐるのは當然のことであるからである。しかしそれは全體の方向決定に關與する力に應じて異るものとして、全體に仕へるその力に應じて異なるものに外ならぬ。ひとはただそれぞれの力に應じて全體に仕へることが要求せられ、又夫々の力に應じて全體に仕へることが許されるのである。しかしかくの如き全體の協働は、法がたゞ部分の對立せる緊張關係を通して部分の緊密なる相互依存の關係を保證する限りに於て可能となるのである。といふのは、かゝる場合に於てのみ、一度び法が設定せられるや、夫々の部分はその力に應じて國民なる場に於て占めるその位置に應じてなすべき仕事を受取り、全體に仕へることが正當に要求せられるであらうからである。國家は各々の部分が國民なる場に於て占める位置に應してその義務と課題とを受取り、全體に仕へる限りに於て、始めて統一ある全體たる事が出來る。

このやうに法の拘束力は、法が部分間の力學的緊張關係を通して國民の相互依存の關係を保證するところから來る。從つて凡て現實的な法は、それが現實的である限りに於て、かゝる性格を保有してゐると言はなければならぬ。もしさうでないならば、法は全體に對して拘束力をもち得ないであらうからである。然しながら現實的な法は、國民なる場を構成する部分間の力學的緊張關係を通して展開する政治運動によつて設定せられるものに外ならぬから、現實的な法に於ては、運動に關與せる部分の力學的緊張關係が其儘に反映せしめられてゐる。而も運動は常に全體に仕へんとの見地からなされるとは限らず、他の犧牲に於て自らの全體に於ける地位を確保せんとの努力に於てなされる事もあり得る。しかしそれにもかゝはらず、法が全體に對して拘束力を持ち得るのは、法の制定に於て、政治によつて部分間の力學的緊張關係が相互依存の關係に轉化されるがためでなければならぬ。言ひかへれば、部分の分ヴェクトルが合成せられるがためでなければならぬ。對抗關係が相互依存の關係に轉ずることによつて法は始めて全體に對して拘束力をもつ現實的法となるのである。現實的法は、常に部分間の對立を豫想するが、對立を通して生れた相互依存の關係を保證するところのものである。

從つてもし凡て現實的な法がかゝる性格をもつてゐるものであるとすれば、法の構成體たる國家は力學的には合成ヴェクトルをもつて現はされなければならぬ。國家は力學的には國民の合成せられた政治力そのものに外ならぬと言はなければならぬ。然し乍ら合成ヴェクトルは現實的には、國家を構成する部分相互間の力學的緊張關係を通して合成せられるものとして、常に合成ヴェクトルに對する分ヴェクトルの反抗の可能性をそれ自らのうちに有する。こゝに於て國家は、社會秩序の維持のために、その實力をもつて自ら合成ヴェクトルたることを證明しなければならぬ。こゝに國家の統治權なるものが成立する。從つて統治權の主體はいふ迄もなく、合成ヴェクトルを以て表はされる國家であり、客體は分ヴェクトルをもつて表はされる國家を構成する部分である。といふのは、國家の成員に對する支配は法を通しての支配であり、法の對象となるものは、違法行爲に外ならないからである。從つてそれは合成ヴェクトルに反抗する可能性をそれ自らの中に有する分ヴェクトルでなければならないからである。從つて秩序維持のために國家の專有する實力の最高性、卽國家の主權性は力學的には國家が國民の政治力の合成ヴェクトルに外ならぬところより來るのである。違反行爲に對する國家の反應が、その靜的形態としての國民なる社會的場の指力線の慣性抵抗の現象として記述せられる所以である。

一體政治は部分の對立の克服を目指すものとして、一度び法が設定せられた場合には、それに反することを許さないといふことが、その目標の中に含まれてゐる。國家の本質的性格はこゝから理解されなければならぬ。他の人格的交渉の場合には、ひとは自分の氣に入らなければ交渉を打ち切り、それによつて生ずる筈の拘束をまぬかれる事も出來るが、政治的交渉の場合には、交渉を打切ることは國家の分裂となる。この分裂をあく迄も避けようとする政治の性格に國家の本質は横づてゐる。といふのは、部分間の力學的緊張關係は常に必ずしも協働に向ふとは限らず、全體の分裂を來す可能性を有するからである。從つて政治を通して部分間の對立せる力學的緊張關係が相互依存の關係に轉化され得るためには、部分があく迄も全體の部分に止らうとするといふことがなければならぬ。しかしこのことはたゞ部分がその全體の部分としてのみ意味と價値とを有するやうな場合に於てのみ可能である。政治は國民なる場を構成する部分間のかくの如き關係を前提とする。言ひかへれば、かゝる場合に於てのみ對立せる部分間の力學的緊張關係は相互依存の關係に轉化され得る。運動が全成せられるのは、それが一つの同じ場を構成する部分である限りに於てであるからである。從つて政治は、それを通して確保しなければならぬ部分間の關係を前提とするものであると言はなければならぬ。これ法が生成しつゝある國民の文化的傳統の地盤に於てのみ設定され得る所以である。といふのは、政治を通してかゝる關係が保證されるのは、國民なる場を構成する部分があく迄も分裂をさけやうとするやうな性格をもつてゐるがためてあり、傳統に基く國民的團結が存するがためである。かゝる團結なくしては、部分間の對立せる力學的緊張關係は、部分間の分裂ともなり得る。然しかゝる國民的團結は傳統に基くものではあるが本質的には國家を構成する凡ゆる部分が共通の運命を荷ふものであるところから來るのである。從つて政治の機能は、從つて又法の拘束力は、たゞ單に國民なる場を構成する部分間の關係だけからは理解出來ぬ。

然しこのことは既に政治運動が國民の他の文化運動と異なり、國家の向ふべき方向を規定しようとの努力に於て展開する運動に外ならぬといふことに含まれてゐる。といふのは、國家の向ふべき方向は現實的には國際場裏に於ける諸國との力學的緊張關係によつて必然的に制約されるものであるからである。これ國民なる場を構成する對立する部分間の政治的な力學的緊張關係を通して、合成せられた力が世界なる場に於ける國家の他の國家に對する力を現はすものとして記述される所以である。實に政治は世界なる場に於ける要素として、他の要素に對する力學的緊張關係に於て、國民は如何なる方向に向ふべきか、その指導原理の確立を目指すものに外ならぬからである。この指導原理の確立に於て部分間の力學的緊張關係を通して相互依存の關係を保證するところに政治の機能は存するのである。從つて法の根本機能は本質的には世界なる場に於ける國家の位置、他の國家との力學的緊張關係から理解されなければならぬ。といふのは、國家と國家との關係は力學的緊張關係としてのみ理解されるものであるが、この他の國家と力學的緊張關係に立つ國家の力なるものは、實に國民の合成せる政治力そのものに外ならぬからである。國民の合成せられた力は、國家と國家とが交渉する世界なる場に於ては、分ヴェクトルとして相互に作用するのである。さうしてそれは國家が世界なる場に於ける要素として、場に於ける一層高い地位を占有しようとするところから生ずる現象に外ならぬ。國家はたゞ單に外敵に對する自己防衛の手段ではなく、實に積極的に自己の力を伸張しようとする力である。これは社會的場に於ける要素としての國家の必然的な性格である。それは國家が資本主義を指導原理とするものであつても、或は共產主義を指導原理とするものであつても、或は特定の宗敎に國家成立の理由をもつ例へばサラセン帝國のやうな國家であつても、更に或は壓迫された諸民族の解放を指導原理とするものであつても同じことである。それは一般に社會的場に於ける要素そのものゝ必然的な性格である。國家の目標は、決して對外的自己防衛といふやうな消極的なものではなく、積極的に自己の力の伸張を目指すものである。ひとはこの事實を對外的自己防衛なる言葉によつて曖昧模糊たらしめようとするけれども、社會的場に於ける要素のもつこの必然的性格を國家についてのみ、その消極的側面だけに限らなければならぬ理由はどこにもない。さうしてこの社會的場に於ける諸要素が一層高い水準に立たうとする事こそ、歷史を轉開せしめる力そのものに外ならないのである。勿論私はこれによつて他國に對する侵略を正當化しようとするのではない。たゞ一層高い地位を世界に於て占めようとする事が世界なる場に於ける要素としての國家の必然的性格であるといふことを言ふのである。さうして地位は必然的に實力によつてきめられるものであるから、實力を失つた國家が既存の地位を保持しようとする時、必然的に實質的力をもつ國家によつてその地位を引下げられるのは當然である。こゝに單なる國際上の法規によつて他國に對する侵略或は現實的地位を確保する事が出來ない理由があり、戰爭を防止し得ない理由がある。

ともあれ國家の實力は一面法として國民なる社會的場に生起する運動を拘束する條件として作用するのであり、從つて社會的場の指力線として記述せられるが、他面、それは世界なる場に於ける他の國家との力學的緊張關係に於ては、その動的形態たる國家なる協働體のヴェクトルとして記述せられる。しかしそれは國民の合成せられた一つの同じ力の異つた現はれに外ならぬ。このやうに國家は、そこに生起する運動に對しては特定の指力線の支配する場としての意味をもち他の國家に對しては特定の目標を追求する協働體として對立し、相互に力學的緊張關係に立つてゐるのであるが、このことはたゞ國家に就てのみ言はれることではなく、凡ての協働體に就ても言はれることである。さうしてこの他の協働體に對する力學的緊張關係こそ、その協働體の靜的形態たる社會的場に統一された全體としての性格を與へるのである。

このことは如何なる集團にしても、他の集團との力學的緊張關係が激化し、戰爭狀態にはいる時、集團の内部に於けるひとびとの團結が鞏固となることからも知られる。外敵に對する敵愾心が内部の團結を堅固ならしめる有力な要因として働くのである。國内の困難が、外的危機の突破によつて解消せられるといふ事實はひとの知るところである。ひとびとは公の福利のために一層本質的だと考へることのためには、小さな意見の衝突を避け利己的感情を抑制して一致團結する。他の國家に對する力學的緊張關係が國家内に於ける對立の意識を消して滅私奉公の感情を生ぜしめるのである。といふのは、一層根本的な對立に立たしめられるが爲に、小さな部分間の對立が問題ではなくなつて來るからである。このやうに、一層廣い社會的場に於ける要素として他の要素との力學的緊張關係にあるといふ事が、集團内部に於ける成員の團結を緊密ならしめる要因として働くのである。このことは更に平時に於ては種々の特殊目的を追及する協働體、從つて又種々の文化運動は必ずしも國民なる場にのみ屬するものでも、又そこに於てのみ展開するものでもなく、國民なる場を横切つて展開し、他の國民なる場にまたがつてゐるのであるが、國家と國家との力學的關係が緊張すると共に、運動はそれら國民なる場を横切つて展開することは出來なくなり、又特殊目的を追及する協働體も國際的協働をなすことが不可能となり、國民なる社會的場は開放性を失ひ閉ぢられた場となることからも知られる。さうしてそれはその動的形態としての國家の他の國家に對する力學的關係の緊張の度合ひに應じて一層甚だしくなる。社會的場の閉鎖性と、その動的形態としての協働體の一層廣い場に於ける他の協働體との間の力學的緊張關係との間には密接な相關的關係がある。このことは國家が世界なる場に於て、他の國家と力學的緊張關係に於てあるといふ事が、國民なる場に於ける部分間の對立せる力學的緊張關係を相互依存の關係に轉化せしめる重要な要因として作用することを示すものでなければならぬ。といふのは、國家が世界なる場に於て他の國家と力學的緊張關係にあるといふ事が、國民なる場を閉ぢた場たらしめ、一つの統一ある全體たらしめる要因として働くからであり、政治が國民なる場を構成する部分の對立せる力學的緊張關係を相互依存の關係に轉化し得るのは、かゝる閉ぢられた場に於てであるからである。

五

だがどうして國家の他の國家に對する力學的緊張關係が、國民的團結の重要な要因として作用し、國家を構成する部分間の對立せる緊張關係を相互依存の關係に轉化する要因として働くのであるかといふことは、世界なる場に於て國家と國家との交渉を媒介する對象が本質的には政治的經濟的なものであることから理解せられる。といふのは國家間の力學的緊張關係によつてきめられるところの國家の世界に於ける地位は政治的經濟的なものに外ならず、國民の生存のための諸條件は國家の實力によつて確保せられるものに外ならぬからである。國民的團結は本質的には生存のための團結に外ならぬ。だから國民の生存のための諸條件を獲得確保するといふ目標追及に於て、同じ目標を追及する他の國家と對立せる緊張關係に立つとき、必然的に國民的團結は鞏固ならしめられざるを得ないのである。といふのは、他の國家の力によつて壓迫されることは、必然的に國民の生存を脅かされる事とならざるを得ないからであり、この不安を取除き、生存のための諸條件を獲得確保する事はたゞ國家の實力によつてのみなされ得ることであり、國家の實力とは國民の團結力、國民の合成せられたる政治力に外ならぬからである。

われわれはかゝる見地から國家の法によつて國民なる場に展開する文化運動が拘束さるべき必然性を理解し得ると共に、法の地盤をなす國民の文化的傳統が、國家の實力によつて逆に制約される所以を理解することが出來る。

國家が世界なる場に於て追及する目標は、あく迄も政治的經濟的なものである。國民のよりよき生活を保障する諸條件を世界なる場に於て獲得確保するといふ事は國家の本質的な目標である。從つて、この共通の目標を媒介として國家と國家との對立對抗は生れるのであり、この對抗の力學的緊張關係を通して國家の具體的現實的な目標、國策は決定されるのである。この國家の具體的現實的目標、國策は、國民の生きた文化的傳統によつて支持されなければならないが、國策は又逆に國民の文化的傳統に大きな影響を與へる。國家の目標を何處に置くかといふ事、國家が如何なる方向に向つて進むかといふ事は、國民の全體的生活に對して影響を與へざるを得ないからである。生存の爲の國民的團結から生ずる合成力が、他の文化的運動に對して特定の歪みを與へるのである。それは本質的には、國家と國家との力學的緊張關係に因るものである。だからこの力學的緊張關係によつて生ずる世界に於ける國家の地位の變動は、必然的に國民の文化的傳統に反影するのである。といふのは、國家の實力によつて確保されてゐる生存の諸條件に適應せる傳統は生永らへ、それに適應しない傳統は死滅せざるを得ないからである。更に又國家が實力によつて確保せる政治的經濟的諸條件が國民生活にとつて有利であるか不利であるかといふことは、國民の文化一般に對して決定的ともいふべき影響を與へるであらうからである。勿論國家の世界に於ける位置は、國家の政治的力だけによるものではなく、國民の經濟的力、科學的力、思想的力によるものである。從つて國家は單なる政治的協働體ではないかのやうにも見える。しかし乍ら、これら凡ての力は結局一つの政治的力に集結せしめられる事によつて、言ひかへれば、それら凡ての力が政治的力に仕へる限りに於て始めて發揮する實力に外ならないのである。

從つて現代に於ては國民的傳統を守護しようとする精神は、ひとが出生によつて屬するところの國家に對する忠誠となつて現はれ、國家に對する犧牲の精神と結びつく。これ國民の生存のための諸條件は國家の實力によつてのみ獲得確保されるものであり、文化的傳統はかうした地盤に於てのみ榮へ得るものであるがためである。こゝに凡ての文化的傳統が國家の立場から評價され、政治の立場によつて特定の偏りを與へられる所以がある。而もその方向に與へられる偏りは、國家の他の國家に對する力學的關係の緊張の度合に應じて大となる。愛國心によつて凡ての文化的傳統に偏りが與へられるのである。然しながら、愛國心は本質的には國民の文化的傳統を守護しようとする精神に根ざすものであり、運命をともにする仲間に對する感情に基くものである。

一體國民の文化的傳統の核心をなしてゐるものは、未開社會のそれに於て明かに看取されるやうに、宗敎と密接に結びついてゐて、傳統を守護する精神は集團そのものに對する忠誠と犧牲とを伴ふものである。ひとはそのために死することをかへつて自己の人格的完成と信ずる。それはその集團に屬する成員にとつては個人的生命以上のものであり、永遠に守護さるべき根源的生命とも呼ばるべきものである。それは父祖たちによつて守護され來つたものであり、世代を通じて子子孫々に傳へらるべき或るものである。凡ゆる價値評價はそれを基準としてなされ、成員の事物を評價する見方、或は立場はこれによつて規定せられるのである、各々集團の成員が自らの屬する集團の文化的傳統を誇り、世界に冠絶するものとしてその傳統の優越性を信じてゐるのはこれがためである。『グリーンランドのエスキモーは、ヨーロッパ人はグリーンランド人から德と作法とを學ぶために送られて來たのであると考へる。ヨーロッパ人に對する彼等の最高の形の讃辭は、彼がグリーンランド人のやうである、或はすぐにグリーンランド人のやうになるであらうといふことであるといふ。一般に未開社會の人達にとつては自分達が眞實の人間であり、外來者は他の或物であり、眞實の人間ではないのである。神話に於ては彼等自身の種族の起源が眞實の人類の起源であつて、他者はそれとは關係のないものである。ユダヤ人は人類を自分達と異邦人とに分ち自分達は神の選民であると信じてゐた。ギリシャ人とローマ人は自分達以外のものを凡て野蠻人と呼んだ。ユリピデスの悲劇アウリスに於けるイフヒゲニンに於てイフヒゲニャはギリシャ人が野蠻人を支配することは至當であるが、その逆はさうではない。といふのは、ギリシャ人は自由であり、野蠻人は奴隷であるからであるといつてゐる。アラビヤ人は自分達を最も高貴な民族だと考へ、他の凡ての民族は幾らか野蠻であると考へる。』註支那人は自らの國を夷狄に對して中國中華と稱し、自分の國を世界の中心と信じ、文化の國として誇つてゐる。例を過去にとらなくても現在に於てもかうした現象は見られる。例へば、アメリカ人は自分達を自由の保護者、人類の友だと考へ、イギリス人はその廣大な植民地を維持することは自分達の當然の權利だと考へ、彼等の沒落は人類の悲劇だと信じてゐる。ドイツ人は自分達が世界を支配する唯一の資格ある民族だと誇稱してゐる。ロシア人は自分達が他の國を征服するのはその解放のためであり、他の國家のそれは凡て浸略的行爲だと非難する。

註 W. G. Sumner; Folkways, Boston, 1906, (p. p 12–14)

だがどうしてかういふことがあり得るかといへば、それは如何なる民族的集團であつても、その集團に屬する人達は、自分達の深く堅持してゐる傳統に從つて一切を評價するところから來るのである。このことが、自分達の集團を凡ゆるものゝ中心となし、凡ての他のものをそれに對する關係によつて評價することを得しめるのである。ひとが評價の規準をそこに置く限り、事物の必然性に從つて、他の集團のひとびとは自分達より劣つたものとして輕蔑の眼をもつて視られるのである。

われわれはこゝに國民の文化的傳統が、成員の人格の核心をなしてゐることを認めることが出來る。この信念がなければ國民的團結は成立たない。これは確かに凡ゆる對立抗爭を可能ならしめる原理ではあるが、これこそ實に個體の原理に外ならないのである。これがなければ個體は成立たない。これが國民なる場を閉ぢられたる場となすための必須の條件である。しかしこれは個人にせよ、集團にせよ、凡ゆる社會的存在の有する獨自の性格であつて、われわれ自身個人としても、個體として存在するためには、自己存在に對する理由を內面に持たなければならぬ。われわれの周圍に存在する凡ゆる事物、人格に對する評價は常に自己を中心としてなされる以外にはなされやうはない。評價の規準は常に自分自らのうちにある。のみならず、如何にわれわれが自分自らを卑下しやうとも、ひとは誰も自分自身であることを止めて、他の人格であらうことを欲するものはない。ひとはあく迄も自分自身であらうと欲する。これをなくすることは個體の自殺である。否自殺でさへも、個體の自尊心に基くものであるといふことが出來る。これと同じやうに、民族社會にしても、自らの民族の優越性に就ての誇りを失ふとともに、その民族的社會はもはや民族的社會としての意味を失ひ、存在の地盤を失ふこととなる。といふのは、その獨自の傳統の存在こそ、その團結の唯一の地盤であるがためである。その固有の傳統を失ふとき民族社會は地上から消え去る。といふのは、それは他の民族社會に同化され、その民族となつてしまふであらうからである。

このやうに國民的團結の根柢には　世界に冠絕せる自らの傳統を守護しようとする努力が橫つてゐる。さうしてこれが國家相互の力學的關係を更に緊張せしめてゐることは確實である。先にもみたやうに他の集團との力學的緊張關係は集團を一つの全體たらしめる重要な要因であり、凡て協働體は他の協働體と力學的緊張關係に於てある限りに於て、そこに生起する運動を拘束する條件を具有するところの一つのまとまつた場としての性格を有するのである。從つて國民を一つの全體たらしめる文化的傳統が、國家と國家との力學的緊張關係を通して强靱ならしめられるのは當然の事といはなければならぬ。從つて國家と國家との力學的緊張關係は政治的經濟的なるものを媒介としてなされる交渉に基くものではあつても、その背後には必然的に文化的傳統を異にする國民と國民との對立せる力學的緊張關係が存する。これは必ずしも戰時だけには限らない。平時に於てもそれが戰時程目立たなくても、かうした事實の存在することは否定出來ぬ。ここに國民の政治的經濟的協働體としての國家とその地盤をなす特定の文化的傳統を有する國民協働體とを區別する事の困難が存する。國家は國民の文化的傳統の地盤の上に構成せられたものであり、國民の生ける文化的傳統を背景とするものであるからである。だから政治的經濟的對立は必然的に文化的傳統の對立を伴ふのである。

國家は國民の生存のための有利な條件の獲得を目指すことによつて、他の國家と力學的緊張關係に立つのであるが、國家は國民の生存の爲の不可缺の條件の獲得を正當づける根據を持たなければならぬ。といふのは、或特定の國家が自らにとつて有利な條件を獲得するといふことは、他の國家にとつては必ずしも有利なことではないからである。こゝに國家は、自らの要求を世界に向つて主張し得るためには、その正當性を承認せしめるやうな根據を持たなければならぬ。さうしてその正當性を根據づけるものは、その國民の有する文化的傳統を發展せしめるといふ事が、世界文化の發展の上に重要な意味をもつといふ事を外にしてはあり得ない。さうしてそれは、實踐的には、その國民の文化が發展するといふ事が世界文化の發展の上に缺くことの出來ないものであるとの信念でなければならぬ。もしかうした信念がないならば、その國家は世界に於て自らの主張を正當づける根據を缺くことゝなる。といふのは、人間的個體をとつて考へてみても、生活維持に役立つやうな條件を獲得するといふ事は、それ自體としては人生の目標とはならぬ。生活維持に役立つやうな條件を獲得するといふ事は一層高次の目標にそれが仕へる限りに於て、言ひかへれば、かゝる條件を獲得するといふ事が、人生の一層高貴な目標追及を可能ならしめる條件となる限りに於て意味と價値とを持つて來るのであるからである。同樣に國民の生存のための條件を獲得するといふ事も國民精神を實現するための手段としてのみ意味と價値とを持つことが出來る。それは高次の生活のための地盤、基底としてのみ意味と價値とを有するものとなる事が出來る。又事實國民の生存のための條件を獲得するといふ事は、國民の文化的傳統を維持し發展せしめるため缺くことの出來ない條件である。かくして自らの道德的宗教的科學的な文化的傳統を、世界に冠絕するものとして守護しようとする精神のみが、自らの主張を正當づける十分なる根據を自らに對して有する事となる。政治的經濟的主張は、それ自體としてはそれを正當づける根據を缺いてゐる。從つてそれが正當なる主張としてなされ得るためには、それを正當づける根據を他に求めなければならぬ。さうしてこの地盤となるものこそ國民の文化的傳統に外ならないのである。

しかしながら政治的經濟的主張がなされるのは他の國家に對してである。從つてこの主張を根據づける傳統も又その國民に對して自らの行動を正當化する根據を與へるだけではなく、他の國民にとつても當然のことゝして承認され得るものとならなければならぬ。從つて國民の文化的傳統は他の國民との力學的緊張關係を通してその偏狹性が破られなければならないし、又事實破られるのである。このことは、信念が世界性を要求するものであることからも理解せられる。といふのは信念はわれわれの見解によれば、傳統に根ざすものに外ならぬからである。しかしかゝる世界性を要求する信念はもはや無自覺的信念として止つてゐることは出來ぬ。さうして國民の無自覺的信念を自覺的信念に迄高めるものこそ、實に文化的傳統を異にする他の國民との對立せる力學的緊張關係に外ならぬのである。といふのは、對立する他の國民がそれを當然のこととして承認しないといふことが國民と國民とを對立關係に置き、否應なしに自らの信念を自覺せしめるであらうからである。從つて自覺された信念は他者に容認を迫る力となつて現れる。ひとが民族精神、或は國民精神と呼ぶところのものは、實にこの自覺された信念の力に外ならぬのである。さうしてこれこそ國民を敎導する唯一の實踐的力である。といふのは、如何にそれが他の國民にとつて輕視され侮蔑の眼をもつて眺められようとも、その眞理性に對する信念のみが、その信念の力のみが、それに打克ち、他者をして容認せざるを得ないやうにたち至らしめるであらうからである。世界を動かし歷史の方向を變へるものは信念の力である。さうしてこゝにこそ、一層低い文化を有する民族を敎導し自らの水準に迄高めることの可能性も又存するのである。（完）

（昭和一八、六、一六）

公と私との關係

淡野安太郎

公と私との關係

（「社會哲學としての法律哲學」の一章）

目次

一、公私未分――身分

人間の社會は單におのづから成るものではない。おのづから成る自然的有機的聯關がつくられた機構的聯關によつて再編成されるところに人間の社會が成立するものとすれば、――そしてそのつくられた機構的聯關を廣く「法」と呼ぶならば、――「社會あるところ法あり」と云はねばならないであらう。かゝる意味に於ての法の性格は當然、社會の性格を規定する。それと同時に又、逆に社會の性格が法の性格を決定すると云ふこともできるであらう。それは、法をつくる人間が　否更に廣く一般に環境をつくる人間そのものが、環境をつくることによつて却つて、つくられた環境によつて逆につくり返へされるものだからである。かくして、法を識ることは社會を識ることであり社會を識ることは法を識ることであるばかりでなく、一層根本的には法を識り社會を識ることは、つくりつゝつくられ・つくられつゝつくる人間そのものゝ姿を識ることでなければならないのである。しからば人間は從來如何なる姿を示して來たであらうか。又、所謂世界史的轉換の行はれつゝある現在、人間は如何なる姿を示しつゝあるのであらうか。

さきに吾々は、相互的融卽の具象的表現としてのトーテム或はトーテム的なるものを中心として地域と祖先と集團とが一體をなすとき、そこに一つの——相對的な意味に於て——閉ぢた人間社會が成立するであらうことを述べた。そこに於ては凡てのものは——人も物も——一體的聯關に於てある。一體性或は身體的聯關こそは、實に人間社會の原初的形態の根本特性を形づくるものと云はねばならぬ。從來、原始社會については一方に於ては個人の分立が未だ顯著ではないといふ點を以て所謂原始共產論が主張せられ、他方に於ては武器裝飾品などはそれにも拘らず各個人に專屬して居たといふ推定の下に或る程度の私有制も亦共有制と併行して既に早くから存在して居たものとせられたのであるが、共有にせよ私有にせよ、自己ならぬ他のものを自己のそとにもつといふ意味に於ての「所有」の觀念を以て原始社會を律することは、原始人の生活を現代人の範疇の中へ無理に當て嵌めようとする過誤を犯せるものと云はねばならぬ。例へば死者の所持品が未開社會に於て如何に處分せられるかを見よ。所持品が死者と一緒に墓に納められるか或は燒き棄てられてしまふことは、未開社會に於て殆んど例外なしに行はれて居るところである。かゝる事實の意味を現代人の立場から强ひて探索し解釋することは愼まるべきであらう。吾々は單純に、それらのものが死者と本來一體をなして居たが故に、と考へればよい。未開人達が最初のうちは容易に物々交換に應じない、といふ樣な事實も此の間の消息を物語るであらう。

所持品が持主と一體をなすばかりではない。現代人から見れば光線が地面に投げるにすぎない

「影」すらも、未開人に於ては結局自己自身に他ならぬのである。從つて自己の影を傷つけるものは自己を傷つけるものであり、自己の影が他人の自由になる範圍内におちる場合には一切の危險を覺悟せねばならぬ、と考へる。西部アフリカでは、人の影に小刀または針を刺すことによる殺人が時々行はれ、若しその現行中に捕へられた場合には、犯人は直ちに死刑に處せられるといふ。此の事實を報告して居る或る探險家はまた、西アフリカの黑人がいかに自分の影がなくなるのを心配するかを實によく傳へて居る。「太陽が輝き亙つて居る暑い晝前、森や草地の上を樂しげに歩いて居る黑人達が森の空地や村の四角い廣場へ來ると、急に注意深くそれを横ぎることを避けて迂回するのに驚かされる。しかし彼等がさうするのは正午だけであつて、しかもそれは自分の影がなくなるのを恐れてなのである。或る日私は特にこのことに敏感な土人達に會つたので、何故夕方になつて影が周圍の暗闇の中に消えるとき影がなくなるのを心配しないのかと訊ねてみた。それは少しも案ずるに及ばない、――と彼等は答へた。夜、すべての影は大神の影の中に憩ひ、そして元氣をとり戻すのである。人・木・大きな山までも、朝立つ影は如何に強く長いことであらうか。」(一)

(一) Lévy-Bruhl : Les fonctions mentales dans les sociétés inférieures, p. 50.

かくの如く自己の持ちもの・自己の影すらも自己自身と一體をなすものと考へられる以上、未開人の心性に於て個人とその所屬集團とが本來一體をなすものと考へられることは毫も怪しむに足りない。さればこそ殺人があつた場合それに對する復讐は、直接殺害者自身に向けられるよりはむしろ殺害者の所屬集團全部に向けられ、その集團所屬員ならば誰彼を問はず一人の武裝資格者を見つけて殺すことであつた。勿論、殺害者自身もその集團所屬の一人として當然復讐を受ける資格をもつて居るわけであるが、實際は殺害者が選ばれることは稀であつて、多くの場合好んで最屈强者が選ばれるといふ。それはその最屈强者に於て集團全部を代表せしめ得ると考へられるからであらう。かやうに殺害者に對する復讐がそれとは別人の最屈强者に向けられるといふことは、——此の兩者を結びつけるものとして——個人と集團との一體的聯關といふ基本的關係を拔きにしては、到底理解さるべくもないのである。

かくの如く持ち物と持主とが一體をなし、その持主としての個人はまたその所屬集團と一體をなすといふ樣な完全に一體的な生活形態から、しからば、自己ならぬ物を自己のそとにもち個人が集團から分離するといふ樣な生活形態が如何にして成立したのであらうか。

此の場合、吾々は全世界の廣きに亙つて、箇々の史的事情を詮索することは斷念して、その理想型的發展（idealtypische Entwicklung）を示すことを以て滿足せねばならぬ。それは決して史的事情を詮索することが無意義であるといふ意味ではなく、歷史的發展もそれが社會の發展として把握さるべきである限り、理想型的發展を認識手段とすることによつてのみ、その固有の意味が明かにされ得るからである。――凡そ社會現象の認識は「理想型」概念によつて、はじめて可能となると謂はれる。勿論、理想型はその名の示す如く決して現實の姿をそのまゝ現すものではない。マクス・ウエーバーに依れば「理想型は一つの思想像であつて、歴史的實在であるのでもなければ、まして『本來の』實在であるわけはなく、況んやそれは實在が類例としてその中に配列さるべき一つの圖式の役目を果すためにあるのでもない。却つてそれは一つの純粋に理想的な極限概念の意味をもつものであり、吾々はそれによつて實在を測定し比較し以てその經驗的内容の中の一定の意義ある部分を明瞭ならしめるのである。」(一)從つてそれは現實の中の一定の要素を一方的に高めること(einseitige Steigerung)によつて獲られた謂はゞ一種のユートピアなのである。それ故に、一つの理想型の示す特色のみから成り立つて居る社會といふ樣なものは、現實にはあり得ない。詳言すれば、現實の社會は一つの理想型から觀れば皆不完全なものであり、たゞ何れかの理想型を主たる特色として、併せて他の理想型の示す特色をも多分に兼ね具へて居るのを常態とする。かゝる意味に於て、理想型は常に非現實的なものであると云はねばならぬ。しかもそれは本來非現實的な思想像であるが故にこそ、よく現實を認識せしめる手段として役立ち得るのである。例へば、若し中世社會より近世社會への事實上の經過が所謂「手工業的經濟形態から資本主義的經濟形態へ」といふ理想型的發展に照應しないとすれば、そのことによつて却つて中世社會の手工業的でない部分を、その特性と歷史的意義とに於て更に鋭く把捉すべき途が開かれるのであつて、此の場合、理想型的發展は自己自らの非現實性を表明することによつて、却つて自己の論理的目的を果すものと云ふことができるであらう。(二) 吾々がこれより展開せんとする「公私未分より公私分離へ」更に「公私分離より公私協働へ」の發展も、右に述べたるが如き意味に於ての理想型的發展として理解されねばならないのである。

(一) マクス・ウエーバー「社會科學方法論」(岩波文庫版)七八頁
(二) 同書　九二頁

吾々はさきに、おのづから成る自然的有機的聯關をつくられた機構的聯關によつて再編成することなしには凡そ人間の社會なるものが成り立ち得ないこと、又所謂血の統一も決しておのづからなる統一ではなくして祭儀によつてつくられた統一であることを述べた。しかしその場合つくられる統一は、未だ内に生きられる一體性であつて外に有たれる統一ではない。これ即ち、人間の社會生活の原初的形態を一體性或は身體的聯關なる概念を以て特色づける所以である。無論、人間はつねに土地の上に住む。しかし居住する一定の土地も、それがトーテムを中心として祖先及び集團と相互的に融卽して身體的聯關を形づくるとき、そこには未だ外なる統一としての領域なるものは成立しない。領域は單に内に生きられる一體性の未だ知らざるもの、――他との境界が重要性を帶びるに到つてはじめて成立する觀念なのである。境界は人間社會を外から統一する。境界の確立と共に人間社會は、はじめて統一を外に有つ。「外に有つこと」としての「所有」、その第一形態としての「總有」は、こゝにはじめて誕生するのである。

かゝる觀點よりするとき、ゲルマンに於て團體が共同に占有し利用する土地の全體卽ち「總有地」を示す名稱として用ひられた「マルク」(Mark)がもと「境界」を意味し、次いで「境界づけられた地域」となつたことは、興味深きことでなければならぬ。(一) マルクは外に對しては嚴格に閉鎖され、内に對しては團體の身分關係を物的に反映することをその特色とする。卽ち、團體が境界づけられた地域に於て自己の内的構成としての身分的關係を外にもつとき、所謂「總有」なるものが成立するのである。

(一) 栗生武夫「法律史の諸問題」三一六―三一七頁
石田文次郎「土地總有權史論」三二―三三頁

その場合、總有が未だ抽象的に對立する人と物との關係でないことが注意されねばならぬ。總有團體たる村は云ふ迄もなく村の成員の全體と同じものであるが、その村の成員といふのは決して單なる人ではない。總有は未だ物から獨立した人を知らないのである。卽ち、村の完全な成員たり得る獨立した定住者とは、村に家屋敷を有し獨立の生計を營むもの卽ち家長を指したと一應言ひ得るのであるが、事態の本質的關係から言へば、家屋敷を有した者が成員としての諸權能をもつたのではなく、かゝる諸權能はむしろ家屋敷そのものに從屬したのである。家屋敷は卽ち外化された身分として土地に對する法律關係の主體であり、かゝる家屋敷なくしては村地に對する使用收益の權能は存しなかつた。從つてそこには、物が人に從屬する關係としての所有關係と物が物に從屬する關係としての從物關係とは區別せられなかつた。而して家屋敷と村地の利用との從屬關係が分離して、村地に對する使用收益の權能が人に歸屬した時は、卽ち土地總有制の崩壞しはじめた時なのである。

かくの如く總有制に於ける法律關係の主體たる「家屋敷」は人と物との分離する以前の存在であり、「物」から分離獨立した「人」のないところ未だ「私」なく、又「私」に對立する勝義の「公」もない。そこには唯、家屋敷については村の團體的權利が最も弱いのに對して住民の箇別的權利が最も強く、次に家屋敷に配當せられた耕地については團體的權利が比較的弱いのに對して個別的權利が比較的強く、最後に共同利用地については團體的權利が最も強いのに對して個別的權利が最も弱いといふ事實があるのみである。かくの如く、一方の強い權能に對しては他方の弱い權能が、一方の弱い權能に對しては他方の強い權能が、互に制約し互に補充し兩者が不可分的に結合して茲に全村地に對する一箇の總有關係を形成する。所謂所有權の質的分割と呼ばれる事態が卽ちそれであつて、そこに於ては所有權の內容が組織法によつて團體の管理處分の權能と住民の使用收益の權能とに質的に分割され、それが再び綜合統一されて所有權の全內容を實現するのである。（我が國の入會權もかゝる見地からその法的性質が正當に理解せられるであらう。）而して右の場合、團體の管理處分を公法的土地支配・住民の使用收益を私法的土地財產といふ風に解するならば、それはあまりに近代法に捉はれた近視眼的解釋であると云はねばならぬ。

古代人口未だ增加せず從つて村落が分裂しない時代に於ては、土地總有團體と村落とはその單位を等しくするものであつた。しかし人口が增加するに從ひ、原始村落から多くの枝分村落が獨立した。而して各村落が分離するに際しても大抵は耕地のみを分割し、森林牧場などは不分割のまゝ殘されたから、各村の住民はこれら森林牧場などを總有する一層大なる土地總有團體を構成することゝなつたのである。（一）そして宛も原始村落に於て家屋敷が村有地に對する權利關係の主體であつた樣に、大總有團體に於ては各村の耕地が森林及び牧場に對する權利關係の中心となつた。かくの如く身分の外化としての家屋敷が夫々に配當さるべき耕地を決定し、その耕地の廣さが森林及び牧場に對する使用收益權を決定するものとすれば、ひとたび家屋敷に外化せられた身分關係に伴ふ運命的不平等は停止するところなく進展し、加之、權利の讓渡が認められるに到れば大は次第に小を吸收して、こゝに世襲的貴族の支配する封建制が實現することゝなるのである。

（一）石田文次郎「土地總有權史論」四九頁、九四頁

しかし總有といふことを理想型的概念として把握するならば、封建制は政治形態としての著しい特色にも拘らず、所有關係の發展段階の上からは——總有制が崩壞して而して後に現はれたものではなく——なほ總有の段階にとゞまるもの、否むしろそれを行くところまでおし進めたものと觀るべきであらう。といふのは、封建制とは之を一般的に言へば、主從の身分的關係が封土に於て外化固定され且、農民の耕作權・貢納義務と領主の貢納徵收權・農民庇護義務との相互制約的複合をその內容とするものだからである。

總有團體はその根本精神或は出發點に於ては、確かに麗はしい人間社會を具現するものであらう。卽ち、成員は自己のためのみならず團體のために存在し、團體も亦自己のためのみならず成員のために存在する、——團體の權利の背後には必ず成員の權利が存し、成員の權利の上には必ず團體の權利が臨んで居る狀態、それは誠にユートピアであるとさへ思はれるであらう。しかしそれが外に對しては城壁を高くして自らを閉鎖し、內に對しては運命づけられた身分關係を土地の關係の中へ固定して頑强に保持しようとするとき、本來主體性を生命とする人間は窒息への一

途を辿るの他はないであらう。此の「身分」の桎梏を破壞して公私未分の中から新たに生れ出た獨立自由なる「私」が、夫々自己の意志にもとづく「契約」によつて自由なる活動の天地を實現しようとするとき、そこに所謂「身分より契約へ」の推移が行はれ「總有」に對して「私有」がその絶對性を振り翳して登場することになる。而してそれと共に公私未分の世界から公私分離の世界への一大性格轉換が遂行されることになるのである。

二、公私分離——契約

身分關係を基礎とする公私未分の世界に代つて契約關係を基礎とする公私分離の世界が登場することは、ゲルマン法的世界(團體法的世界)に代つてローマ法的世界(市民法的世界)が出現することを意味する。勿論、年代から言へばゲルマンの世界よりローマの世界の方が古いことは云ふ迄もない。しかしローマの世界も亦それ自身の歷史をもつ。イエーリンクに從つてローマ法の歷史に三つの時期を區分するならば、所謂ローマ法的世界が出現したのは其の第二期以後であつて、第一期時代に於ては凡てのインド・ゲルマン諸民族がひとしく原始的共通性を具へて居たものと考へられ、最古のローマ法の形態は千年後のゲルマン民族に於て見出される法形態と明かに類似性をもつて居るのである。(一)即ち、移動を續けて居たゲルマン人が千年の久しきに亙つて此の原始的段階に停頓して居たのに對し、ローマ人は國家社會機構の安定と確立によつてその華華しい發展を成し遂げることができたのであつて、所謂「ゲルマン法的世界からローマ法的世界へ」の發展は、廣義のローマ法の實際の歷史についても其の第一期から第二期への發展として之を證示することができるのである。かく觀じ來れば、ゲルマン法的世界からローマ法的世界への發展は、決して――一見然か見ゆるが如く――歷史的發展に逆行するものではないと云はねばならぬ。たゞ、ローマの歷史の第一期から第二期への事實上の發展をモデルとするよりも、「ゲルマン法」と「ローマ法」なる二大法形態を理想型的に構成して前者から後者への理想型的發展を認識手段とすることの方が、法形態推移の意義をより鮮明に把握せしめるが故に、「ゲルマン法的世界からローマ法的世界へ」なる圖式が愛用されるに他ならぬのである。

(一) Ihering: Geist des römischen Rechts auf den verschiedenen Stufen seiner Entwicklung, S. 80-81.

さきに述べたるが如く總有團體は、その內的構成としての身分關係を土地に於てもつたのであつた。從つてそこには未だ分離獨立した「人」なるものはなく、家長に屬するかの如く見える權能も實は身分關係の外化としての家屋敷に屬する權能だつたのである。たゞさういふ根源的な事實があつた。そしてその根源的な事實が凡てを決定した。詳しく言へば、ゲルマン法に於ては抽象的法（das Recht in abstracto）と具體的法（das Recht in concreto）の區別もなく、法規と法律關係との區別もなかつた。即ち、論理が先づ存在してその論理から事實が生み出されたのではなく、論理に先立つて事實が存在し其の事實が論理を生んだのである。從つて裁判も、決して近代法に於けるが如く法規を大前提とし事實を小前提として結論を導き出す論理的操作ではなく、祖先の敎と故老の記憶によつて決せられた生活關係の確定であつた。かくの如く根源的な事實が凡てを決定するものと考へられるところに、ゲルマン法獨特の（Gewere の本質がもとめられねばならないのである。

Gewere はその語源から言つても英語の wear とひとしく「身に着けて居る」ことを意味する。即ちゲルマン法に於ては、適法な行爲によつて物に對する支配權を取得することを寓意的に「物を身に着ける」と表現し、取得行爲によつて導かれた狀態そのものを又 Gewere と呼んだのである。(一) されば、現に物を身に着けて居るところ——即ち現に物を活用して居るところにのみ、Gewere が成立する。從つて、例へば土地に關する權利が讓渡されるためには、讓渡の目的となつて居る土地から少し許りの土塊又は草莖を取つて來て讓渡人は之を讓受人の膝に置くといふ樣な象徵的形式さへも必要だつたのである。しかし後には土塊或は草莖の代りに、手袋や帽子が同じ目的のために用ひられる樣になつたといふ。蓋し、手袋は所持を表示し、帽子は支配を象徴したからであらう。かくの如く Gewere の存在及び移轉のためには、それが事實上外部的に表現されることが必要だつたのであるが、たゞ相續及び侵奪の場合には例外的に ideelle Gewere が成立するものと考へられた。卽ち相續人は被相續人の死亡により何等事實上特別の表示を俟たずして直ちに相續財產の上に Gewere を取得すると認められ、又土地に對する支配が不法に侵奪された場合には Gewere は依然として被侵奪者の方に存在すると考へられたことについては、全く爭ふ餘地がない。たゞ併し、かゝる觀念上の Gewere の效力は絕對的ではなく單に相對的であつたところに、ゲルマン法獨特の事實尊重の特質が決して失はれては居ないのである。詳言すれば、相續開始前に旣に被相續人から取得された第三者の Gewere 卽ち古い Gewere に對しては相續人の Gewere を以てしても對抗することはできなかつたし、又被侵奪者の觀念上の Gewere は侵奪者に對してのみその效力を主張し得られたのに過ぎないのであつて、第三者に對しては侵奪者の事實上の Gewere がその現實の姿のまゝで妥當したのである。しかも更に一年間他から攻擊されることなく平穩且つ公然に Gewere を持ち續けた曉には、侵奪者の Gewere と雖も――相續人の場合と同樣――もはや何人も否定するを得ない・又何人に對しても主張し得る絕對的な效力を有するに至るのである。かくの如く、ゲルマン法に於ては「事實」のもつ力は偉大であつた。否、持

續した事實は萬能であつたとさへ云ふべきであらう。(二)

(一) 石田文次郎「財産法に於ける動的理論」一一〇—一一一頁

(二) ゲルマン法に於ては近代法に於て謂ふところの占有と所有との區別はなく唯一つ Gewere の制度があつたのみであり、凡ての物權は Gewere の衣服を着用して現はれ Gewere の中に現はれない物權なるものは存在しなかつた。

右に述べた「持續した事實のもつ萬能性」は、しかしながら、ゲルマンの村落生活そのものに其の成立の基礎を有するものであることが見失はれてはならぬ。ゲルマンの村落に於ては、村の成員は會議に出席する義務があつた。それ故に、その會議で例へば讓渡行爲の裁判が行はれる場合、裁判官が「異議ある者は直ちに申出でよ、然らざれば異議申立權を失ふ」と三度言渡す手續をして確定すれば、通常の場合は社會生活上何等不都合がなかつたのである。唯、急迫なる事情或は不在のために會議に出席することができなかつた者に對しては、更に一箇年といふ期間が異議申立の猶豫期間として與へられたのであるが、それがやがて裁判以外の場合にも適用されて、一般に一箇年の經過によつて取得時效が成立するに至つたのである。かくして Gewere はゲルマンの村落生活そのものと不可分に結びついて成立した法形態であると云はねばならぬ。(一) 從つて、村落生活自體に現狀維持を困難ならしめる樣な事情が起れば、Gewere も亦存續し得なくなることは云ふ迄もない。而して、ゲルマン的村落生活樣式に最も根本的な變革を要求したものは、近世資本主義のめざましい發展であらう。

（一　決鬪による立證方法なども亦、ゲルマン的村落生活と密接に結びついたものであつた。卽ち、係爭が隣人の間にのみ存在しその事件の内容が審理の關係者に元々知られて居る場合には、決鬪といふ樣な一見亂暴な方法も適當に活用され得るのである。しかしそれが多くの外來者を包含する商業都市に於ける商人間の係爭事件に適用すべからざるものであることは、云ふ迄もない。從つて第一回十字軍の後、都市に於ける商業隆盛の結果生れた諸都市法は、何れも決鬪による立證方法を禁止して居るのである。

資本主義の發展は商業部門の躍進を齎らす。ところで商業なるものは、本來自給自足經濟圏から外へ出て行くことによつて生れたものであつた。凡ての民族に於て最初の商人は外來者であつたことが、何よりも雄辯に此の間の消息を物語るであらう。土地から離れることによつて、村人は――慣習と身分とから獨立した經濟單位としての――商人となる。しかし物と共に動く商人は猶最も幼稚な商人である。そこには未だ商業的世界の獨立が實現されては居ないと云ふべきであらう。現物からの制限を脫し、時と處を超越して自由に取引を行ふところに、まさに商業の商業たる眞面目がある。そのためには、事實上ものを「身に着ける」ことによつてはじめて成立する

Gewere に代つて、たとひ物を身に着けなくとも物に對する不可侵の支配權を保證する新なる機構が生れ出て來なければならぬ。携へ歩くに不便な現物に代つて、一片のペーパーがよく現物と同等に見做されるに及んで商業はいよ〳〵盛んになり、逆にまた商業の躍進的發展は凡てのものをペーパー化せずには措かなかつたのである。

ペーパーは當の物ではない。しかもそのペーパーをもつことが物をもつことゝして通用する世界は、それ故に決して單なる事實の世界ではなくして、事實から遊離してつくり上げられた約束の世界である。約束が契約といふはつきりした形をとる樣になつたのは恐らく、人間が喧嘩ばかりして居てはお互に身を保つことができないので、過去の行懸りを清算して仲直りをする樣になつた時のことであらう。しかし此の場合見失はれてならないことは、仲直りのしるしに結ばれた契約でも決して單に消極的に過去のことを水に流すといふだけのものではなくして、そこに新なる秩序を建設するといふ機能をもつて居たことである。單におのづから成る事實のまゝに身を委ねるのではなくして、人間が自己の意志によつて單なる事實を超越して相互の權利確保の秩序をつくり上げたところに、「契約」のもつ積極的な創造的機能がある。勿論おのづから成る事實に根ざす「身分」と雖も、それが人間世界の歷史的事實である限り、決して單なる自然的事實と同一視すべからざるものであることは、云ふ迄もない。歷史的世界には純粹な意味に於て所與と呼ばるべきものはなく、運命的と稱せられる事實も亦何等かの程度に於てつくられた要素を含んで居なければならぬことは勿論である。しかしそれにも拘らず、身分的存在は多分に事實に引きづられた存在である。そこには勝義のつくるものとしての獨立と自由とは、未だもとむべくもない。時と處に束縛された事實から離れて、自由に契約し自由に活動し得る新なる存在秩序を創設することによつて、人ははじめて「つくるもの」としての眞面目を發揮したものと云ふべきであらう。かゝる意味に於て、ローマ法が――事實關係から區別された――權利關係の世界を獨立に創設したことは、實に世界史的偉業であると云はねばならぬ。しかしそれによつて人は、果してその獨立と自由とを最後まで誇り得たであらうか。既に前世紀に於て或る者が「身分から契約へ」の方向に人間社會の輝しき發展を謳歌したのに對して、他の者は反對にその同じ方向に重大なる危機の伏在を叫んだ。それはいつたい何を意味するのであらうか。

　事實關係から抽象的に分離せられた權利關係の世界は、典型的なつくられた機構的聯關の世界である。そこに於ては、おのづから成るものゝ免れ得ない個別的差異は、逆の方向よりの限定としての機構的聯關によつて平均化せられる。個體的拘束から解放せられた「私」は、かくしてはじめて誕生するのである。しかしその「私」は決して個性をもつた「私」ではなく、平均化された面(persona＝假面)を被つて登場する「私」である。その面は平均化された面であるが故に、誰でも代つて被ることができる（代理）。更にそれは量的に分割されることもできれば（持分的共有）、量的に結合されることもできる（法人の單獨所有）。かゝることが單なる事實關係に於て不可能であることは云ふ迄もない。事實から離れた純然たる權利關係に於てのみ、契約はいかなる事態をも自由につくり出すことができるのである。しかしその場合事實から遊離すると共に「人」も亦いつの間にか姿を消してしまつて居ることが注意されねばならぬ。ローマ法的世界の特質を一身に凝結して出來上つた「株式會社」が佛蘭西語で「無名會社」(société anonyme) と呼ばれて居ることは、興味あることでなければならぬ。勿論、株式會社で無名の會社は一つも存在しないであらう。それにも拘らず株式會社が無名會社と呼ばれる所以は、株主が決して個性をもつた人間として參與するのではなく、たゞ純資本的に參與するにとゞまり、謂はゞ無名の資本自體が企業者だからである。さればこそ株式會社を組織するものは株式であつて株主ではない、と謂はれるのである。かくして人がつくつた企業組織が人から獨立して自働的に活動を開始するとき、それをつくつた筈の人間が却つて抗すべくもなくそれにひきづられ壓倒せられ、遂にはその生活をすら脅かされるに到るのである。（金權支配の社會が如何なる世相を呈するかを想へ！）。かくして　一面に於ては確に人間社會の輝しき發展を約束する「身分より契約へ」の方向が、同時にその反面に於ては人間社會にとつて重大なる危機を孕んで居ると云はねばならないのである。

しからばメインの有名な「身分より契約へ」(from Status to Contract) は、之をいかに解すべきものなのであらうか。メインの「身分より契約へ」が基となつてスペンサーの「軍制型社會より產業型社會へ」及びトエンニスの「ゲマインシャフトよりゲゼルシャフトへ」更にデュルケムの「機械的連帶より有機的連帶へ」(一)が生れ出たことは周知の通りであるが、メインの正しき理解者を以て任ずるデル・ヴェキォに依れば「身分より契約へ」といふのは、出生の事實によつて決定せられた原始的協同體が合意を基礎とする結合體へ推移するといふ意味であるといふ。(二) ところで問題は、それがいかなる推移であるかといふ點にある。

(一) デュルケムの「機械的連帶より有機的連帶へ」はトエンニスの「ゲマインシャフトよりゲゼルシャフトへ」と一見正反對の方向を指示するかの如く思はれるかも知れぬ。しかしデュルケムに於ては、個人が宛も無機物の分子の如く自己固有の運動なるものを有せず、唯、全體と共に運動し得るにとゞまる社會連帶關係が solidarité mécanique と呼ばれ、對之、個人が宛も有機體に於ける各器管相互の如く各自特異の作用を營むことによつて却つて相互に連結して以て全體を形づくる連帶關係が solidarité organique と呼ばれるのであつて、か〻る意味に於てそれは又「分業による連帶」(solidarité par la division du travail) とも呼ばれ、しかも「分業」が　決しておのづから成るものではなく　むしろ典型的なつくられた聯關であることを思ふならば、デユルケムの「機械的連帶より有機的連帶へ」の方向が――「有機的」といふ稱呼の紛らしさにも拘らず――結局トエンニスの「ゲマインシャフトよりゲゼルシャフトへ」の方向と一致するものであることが理解せられるであらう。

（二）　高柳賢三譯デル・ヴェキオ「法の歷史的進化に就いて」（「法學協會雜誌」第四〇卷第一〇號）メインはその「古代法」第五章の終りに「進步せる諸社會の推移は今迄のところ身分から契約への推移であつたと云ひ得るであらう」と述べて居る。メインが此の一文に於て「今迄のところ」(hitherto)と用心深くことわつて居るのにも拘らず、契約の自由を以て文明の一大特長と認めたことは諸所の語句から到底否定し得ないところであり、かくしてその著作全體として與へる感じは「身分より契約へ」を廣く一般的に――將來の歷史的發展をも規定し得る樣な――公式であるかの如く思はしめるのである。而してメインに對する攻擊は、まさに此の不當な一般化に向けられる。卽ち、身分より契約への推移は確にローマ法の歷史が示すところではある。しかし凡てを行爲者の意志に歸するローマ法の世界が唯一の世界ではない。ゲルマン法及びその系統に屬するコンモン・ロー (common law) の世界に於ては其の中心觀念は意志ではなくして關係であり、諸々の權利義務は當事者が意志したが故にではなく、相互に一定の關係（例へば主人と召使といふ樣な關係）に立つて居るが故に、其の關係そのものによつて與へられ課せられるのである。從つて

「メインの公式は英米法の歴史の中には何の根據ももつて居らぬ、否　我々英米人が後向きに進んで居るのでない限り――今日英米法の全過程は、寧それを裏切つて居るのである」とパウンドは言ふ。(一)　ローマ法について英國人の無智を嘲つたメインが、足下のコンモン・ローに對する認識不足を非難されて居るのは、皮肉と云はねばならぬ。

(一)　Roscoe Pound : The spirit of the common law, p. 28.

かくして「身分より契約へ」は、歴史の事實的推移を示すものと云ふことはできぬ。(複雜なる歴史の動きを凡て洩れなく規定する公式などといふものは、あり得ない筈である。)それは先きに述べたるが如き意味に於ける理想型的發展、卽ち一つの理想型から他の理想型への推移を示すものとして、はじめてその正當なる意義をもち得るものと云ふべきであらう。ところで理想型的發展は歴史的發展でないばかりでなく、また理想への發展でもない。凡ての人間がその個性を無にして平均化された「面」を被るローマ法的世界それ自體が、本來自覺的存在たることを生命とする人間にとつて理想的社會たり得ないことは、論を俟たないところである。否、それは理想的社會でないばかりでなく、人間の生活をすら脅すものとして重大なる危機の伏在が叫ばれたのである。「おのづから成るもの」を全く無視して、純然たる「つくられたもの」のみの世界の中に、人はその完き生を營むことはできぬ。ローマ法的世界がその輝しき發展の蔭に不可避的に將來する重大なる危機の根本原因は、ローマ法がおのづから成る事實の世界から人間を抽象的にひき離して、純粹につくられた機構的聯關のみによつて人間社會を形成しようとするところにある。成程そこに於ては、運命の絆から解き放たれた「私」が契約自由の原則の下に不羈奔放に活躍し、「私法」が國境をすら超越して全世界を風靡しようとするかの如くに見える。しかしその「私」の活躍は、先きに述べたるが如く決して個性を具へた生きた人間の活躍ではなくして、その實は人間を置き去りにした無名の資本の活潑な動きに他ならなかつた。その華かな舞臺裏では、多くの生きた人間が反對に底なき呻吟の淵の中で喘ぎ續けたのである。即ち、人間は自己のつくつた抽象的な「私」に絶對性を付與することによつて、自己自身を危殆に瀕せしめたものと云はねばならぬ。「公」から抽象的に分離した「私」が絶對性を振り翳して横行する人間社會が、健全である筈はない。「公」との内面的協働を拒否する「私」を絶對的なものとするところに、ローマ法的世界が自己の内部より崩壞せざるを得ない歴史的必然性があると云はねばならないのである。

三、公私協働――職分

尤もローマ法的世界と雖も決して「公」を知らないのではない。否むしろ、私法と公法との區別を自覺的にうち立てたのは、法制史上ローマ法の齎した一大貢献とさへ云ふこともできるのである。（ローマ法繼受前のゲルマン法は公法私法の別を立てず、我が國古來の法制にも亦公法私法の區別はない。）そればかりではない。ローマ法的世界の發展は「公法の私法化」なる言葉を以て特色づけられるのである。しからば、ローマ法的世界に於て「公」と「私」とは、相互に如何なる關係に立つて居るのであらうか。

通常「公」の關係とは全體と個體との上下の關係であり、「私」の關係とは個體相互間の對等の關係であるとせられる。しかもその所謂全體が時には一個體として他の個體と對等の「私」の關係に立つ場合があり、かくして法主體としての全體が二重の性格を以て現はれるところに、ローマ法的世界の面目躍如たるものがあるのである。例へば、遞信省と電信依賴人との關係は公法的關係であるが（料金不納金額は國稅滯納處分の例によつて徵收せられる）、鐵道省と鐵道乘客又は貨物運送依賴人との關係は純然たる私法上の運送契約の關係である（蓋し鐵道や軌道事業は歷史的に見て主として私の營業として發達したもので、原則として鐵道國有主義の實行せられて居る今日に於ても尙私立會社の營業に屬する鐵道や軌道は少なからず存して居り、而してその事業の性質に於て經營者が私の會社であると國家又は公共團體であるとによつて異る所はないからである）。同樣に、東京市と水道利用者としての市民との關係は公法的關係であるが（水道は原則として唯市町村のみが經營し得る）、市電の乘客としての市民と東京市との關係は私法的關係である。(一)　卽ち法主體としての「全體」のもつ性格の如何に從つて、そこには公法的關係か私法的關係かの何れかがある。而して一方があれば他方はない。約言すれば、「公」の關係と「私」の關係とはローマ法的世界に於ては原則として二者擇一の關係におかれて居るのである。從つて「公法の私法化」とは、公法的關係が私法的色彩をもつたものになるといふことではなくして、公法的關係が消滅してそれに代つて私法的關係が登場することを意味するのである。ローマ法的世界がかかる意味に於ての「公法の私法化」の方向へ進展するとき、公法的關係は次第々々に私法的關係におき替へられて社會生活を律する法律關係は大部分私法的關係となり、國家が全體的性格に於てその機能を營むことは極めて限られた範圍にとどまることゝなるであらう。國家も畢竟他の多くの「私」（例へば勞働組合・敎會など）と相竝んで特定の機能を營むことを目的とする團體にすぎないといふ所謂多元的國家論は、かゝる雰圍氣の中に成立するものなのである。理想型としてのローマ法的世界の國家論は、恐らくかくの如きものでなければならないであらう。しかし純粹にかかる國家は現實には何處にもあり得ない筈である。一見多元的國家論の格好のモデルと考へられた今次歐洲戰爭前の英吉利の國家も、ひとたび非常時に際會すれば今迄かくされて居たその本性たる立體的構造を大きくクローズ・アップした。此の現實に直面して、從來社會生活の平面的竝列的關係の華やかな動きに幻惑されて居た多元的國家論者達は、自己の認識不足を如實に悟らしめられ夫々學說を修正してその抽象性を揚棄せざるを得ないこととなつたのである。

（一）　美濃部達吉「公法と私法」四七―五九頁

尤もローマ法的世界に於て「公」の關係と「私」の關係とは飽くまで二者擇一の關係であつて、二つの關係が觸れ合ふことは絕對にないといふのではない。例へば所有權の公法上の制限は決して珍らしい現象ではない。所有權の享有の自由に對する制限としては、從來から沒收・收用・徵發・強制買收・換地處分などの制度は普ねく知られて居るところである。又、所有權の行使についても我が民法第二〇六條には既に所有權が「法令ノ制限內ニ於テ」のみ物の使用收益處分を爲し得る權利であることを明言して居り、而してその所謂法令の制限といふ中には公法的制限をも含むことは勿論である。かくの如く私法上の權利たる所有權が公法的規律に服するものとすれば、その限度に於て――「公法の私法化」とは逆に――「私法の公法化」が言ひ得らるゝが如くに見える。しかし問題は公法的規律による所有權の「制限」をいかなるものと觀念するかにある。此の場合「制限」なる言葉が既に示唆する樣に、從來の通念としての制限は畢竟單に消極的なるものに過ぎぬ。即ち、所有權とは本來物に對する包括的排他的（＝一般的全面的）な支配權であるといふ所謂所有權の絕對性を根本の建前としてそれをたゞ――現實の社會生活に於て生じ得べき衝突を豫め避け、所有權がその機能をより充分に發揮し得んがために——一時局部的に制限するといふのが玆で言ふ「制限」の正體なのでありそれは謂はゞ已むを得ない害惡（necessary evil）に過ぎぬのである。從つてその一時的な制限が除去されるときには、少くとも觀念上所有權はひとりでに其の本來の絶對性を恢復するものと考へられる。(一)所謂所有權の彈力性と稱せられるものは卽ちこれに他ならぬ。かくの如く所有權の絶對性と彈力性とが當然のことゝして固執せられる限り、公法は私法に對して唯一時假りに外から制限を加へ得るにとゞまり、その本來の姿に於ては兩者は全然別個の系統をなすものと云はねばならぬ。

(一) 權利それ自身は本來絶對的なものであるといふ考へ方をAn-sich-Denkenと呼んで、ジーベルトはさういふ考へ方そのものを攻擊して居る。

而して平等的對立關係の確保をその根本使命とする私法が社會の現實の生活關係に於て、社會的權勢者のために專制の手段を提供し社會的無力者に對してその專制への無條件的服從を强要するに至つては、ローマ法的世界自體の危機は右に述べたるが如き私法自治の單なる一時的消極的制限によつては到底さけ得べくもない。玆に於て一九一九年の獨逸のワイマル憲法はその第一五三條第三項に「所有權ハ義務ヲ包含ス、所有權ノ行使ハ同時ニ公共ノ福利ノ爲ニスルコトヲ要ス」と劃期的な革新的原則を揭げるに至つたのである。之を一七八九年の佛蘭西の「人權並に市民權宣言」第一七條に「所有權ハ不可侵且ツ神聖ノ權利ナリ」と揚言して居るのと思ひあはせるとき、百數十年の間に人間社會がいつの間にか大きな轉回をしてしまつて居ることに驚かされるであらう。しかし右のワイマル憲法は、所有權者が公共に對して負ふところの義務とは具體的に如何なるものであるか、又その義務の違反があつた場合いかなる制裁が加へられるのであるか、といふ樣なことについては凡て之を法律の規定に讓つて居るが故に、憲法の規定のみを以てしては單なる主義の宣言たるにとゞまる。かくして此のワイマル憲法によつて示された方向にローマ法的世界の構成を修正することによつて、現實の社會關係と現行私法の根本思想との矛盾を克服しようとする國家的努力の結果生れ出たものが、所謂「社會法」に他ならぬのである。尤も社會法といふまとまつた法體系が決して既に出來上つて居るのではない。社會法の名を以て呼ばれて居るものは、實は一つ々々の特別法以外の何ものでもない。而して特別法とは畢竟例外法に他ならぬとも云はれ得るであらう。しかし一般法は社會の推移に從ひ常に特別法の形を以て分解し、その特別法の中に一見例外的に示された新法理こそ、やがて次の時代の一般法を創るものであることが見失はれてはならぬ。從つて玆では、社會法は法の動く一般的方向を指示する觀念として把握されねばならないのである。

かゝる意味に於て現代に於ける法の動向は「個人法から社會法へ」(Von individualistischen zum

sozialen Recht)(一)として規定され得るのであるが、その場合の社會法とは個人的利害を社會の統一的全體性の優越の下に從屬させることを根本理念とするものであつて、「社會法」なる概念の建設者の一人ラートブルフの說く所を要約するならば、それは次の四つの點にその特色を有するものと考へられる。

イ、社會法は抽象的平均的人格概念の背後にある具體的個人の特質、即ち社會的强者或は弱者たる地位を明瞭ならしめる。

ロ、個人主義的法の基く平等の思想に對して、社會法の基くところは均衡の思想である。即ち、交換的正義に代つて配分的正義が支配する。

ハ、社會法に於ては當事者たる私人の背後に第三者として、或は又主たる當事者として、社會や國家が監視し・時には干涉する。

ニ、社會法は新たな平面に於て法形態と法現實との調和を計る。

(一) 自由經濟法→社會法→統制經濟法……の形に於て最近の法の動きを觀念するならば、社會法は未だ「その根本態度に於て自由經濟法とひとしく經濟の一般的構造の成立し能ふための法的諸條件を規制するに止まる」ものであるから、國家社會の各成員がすべてその志を遂げその生を完うすることのできる樣な諸制度を積極的に確立するためには、一層高い全體的立場から合理的企劃を自覺的に行ふ統制經濟法へのコペルニクス的轉回が必要であるといふ主張も一應成立つのであるが（後藤清「統制經濟法と厚生法」）、「個人法から社會法へ」の標語は、こゝでは「社會法」を廣く解して――個人法との對照に於て――統制經濟法への方向をも含めた新しい動向を示唆するものとしたいと思ふ。

かくの如き特色をもつた社會法として我が國に於て既に、各種の勞働者保護法・借地法・借家法・小作法・身元保證法・各種の調停法など多くの特別法が制定されて居るのであるが、その典型的なるものとして勞働者災害扶助法を例示するならば、同法第二條には「事業主ハ勅令ノ定ムル所ニ依リ、勞働者ガ業務上負傷シ、疾病ニ罹リ又ハ死亡シタル場合ニ於テ、本人又ハ其ノ遺族、若ハ本人ノ死亡當時其ノ收入ニ依リ生計ヲ維持シタル者ヲ扶助スベシ」と規定して居るのである。勿論、事業主は勞働者との契約にもとづいてはじめてかゝる扶助の義務を負ふのではない。又、工場設備に過失があつた場合にのみ謂はゞ過失による損害を賠償するといふ意味で、事業主がかゝる義務を負ふのでもない。契約にもよらず又過失もなくして負擔する扶助義務――これは契約自由の原則と過失主義の原則を所有權絶對の原則と共に三大原理とするローマ法的世界の全く知らざるところである。而してまさに此處に動く法の姿が捉へられなければならないのである。

自由主義經濟の社會に於ては各人をして自由に活動せしめるといふ建前の下に、各自の自由なる意志活動が法形成の主要なる淵源となつて居たが故に、個人相互間の意志表示を俟つてはじめて諸種の法律關係は發生するものと考へられた。そこでは公の秩序又は善良の風俗に反しない限り、如何なる內容の契約をも自由に締結することができた。しかしかゝる自由契約の時代はいつまでも續くわけに行かず、資本主義の進行に伴ひ企業獨占の時代が現出すると共に、社會生活の現實の要求に合致するためには契約の內容が法規によつて規制される規制契約（normierter Verträge）の時代に移り（例へば他代家賃統制令）、更に進んでは強制契約（Zwangsvertrag）の時代が到來するに至つた。強制契約とは一定の條件を具備する限り——國家が公共の利益のために——契約を締結すべき義務を一定人に課する場合をいふ。而して強制契約の多くは同時にその契約の內容が規制されて居るから、強制契約は規制契約より更に一歩を進めて、國家が契約內容を規制すると共に契約締結の自由をも制限したものと觀なければならぬ。例へば入營者職業保障法に依れば、雇傭者は入營を命ぜられた被傭者を解雇したとき、又は入營中雇傭期間滿了したときは、其の者が退營した日から三個月以內に從前と同一の條件を以て再び之を雇傭しなければならないのであつて、若し當事者が契約締結の義務に反して契約を締結しなかつたために相手方に損害を與へた場合には、當然損害賠償の責を負はねばならないのである。かくの如く人と人との間の法律關係については強制契約の方式を以て臨んで來て我が國法は、統制經濟の進展と共に物品の處理に關して更に一歩を進めて徹底した命令契約（diktierter Vertrag）の方法をすら採用するに至つたのである。命令契約とは國家又は國家の機關が法規に基いて特定人に對し一定量の物品を一定の條件の下に特定人に賣却すべきことを命じたときには、宛もその當事者間に契約が締結されたのと同樣の法律關係卽ち賣買關係が成立し、賣主は一定量の物品の引渡を爲すべき義務を負ひ買主は之に對して一定の代金を支拂ふべき義務を負ふ場合をいふ。卽ちその場合には法規にもとづく國家又は國家機關の命令が當事者間の合意に代つて、法律關係をその當事者相互間に發生せしめるのであるから、若し合意といふことが契約成立の不可缺の要素と考へるならば、命令契約はもはや契約の範疇の中には入らない程變質してしまつて居ることを見逃すことはできぬ。（一）

（一）　しかしこのことは何等驚くに足らない。といふのは契約は決して法律秩序を形成する唯一の形式ではないからである。たゞ自由主義體制のもとに於ては、凡ての合意を契約と同一視したが故に、契約が凡ゆる場合に適用し得べき一般的な方式と考へられたのである。かくして財の交易と直接關係のない婚姻の如きものまでも契約として把握し、內緣關係を「婚姻の豫約」といふ樣な變なものにしてしまはねばならなかつたのである。しかし事實を正直にみつめるならば、婚姻が決して單なる一定の給付を目的とするものでないことは明かであり、それは人格の全部を家族共同體の中へ組入れることになるのであるから、契約と云はずに結合(Einung)といふべきであるといふ主張にも一理があるであらう。(Larenz: Vertrag und Unrecht, S. 18.)

しかし變質したのは決して契約自由の原則ばかりではない。契約自由の原則とつねに並び稱せられる所有權絶對性の原則も亦、これに劣らず變質してしまつて居るのである。試みに國家總動員法第一三條の規定に基いて公布された「臨時農地等管理令」に依れば、土地所有者がその土地を荒蕪の狀態に放置するが如きことはもはや許されず、「地方長官必要アリト認ムルトキハ道府縣農地委員會又ハ市町村農地委員會ヲシテ農地ノ權利者ニ對シ其ノ農地ノ耕作ニ關シ勸告セシムルコトヲ得」るものとせられ、更にかゝる勸告が效を奏せざる場合に備へて「地方長官必要アリト認ムルトキハ農地ノ權利者ニ對シ其ノ農地ヲ地方長官ノ適當ト認ムル者ヲシテ耕作セシムル爲賃貸其ノ他必要ナル措置ヲ命ズルコトヲ得」る旨の規定が掲げられて、強制耕作或は命令耕作の途すら用意せられて居るのである。否、その強制はもう一歩進んで作付統制にまで及び、「農林大臣又ハ地方長官必要アリト認ムルトキハ農地ノ權利者ニ對シ一般的ニ農作物ノ種類、地域其ノ他ノ事項ヲ指定シテ作付ヲ制限又ハ禁止スルコトヲ得、地方長官必要アリト認ムルトキハ農林大臣ノ定ムル所ニ依リ特定ノ農地ノ權利者ニ對シ農作物ノ種類其ノ他ノ事項ヲ指定シテ作付ヲ命ズルコトヲ得」といふ規定まで置かれて居るのである。

前述の命令契約がもはや契約ではないといふのならば、耕作を強制され作付を命令される農地の所有權は、もはや從來の所有權ではないといふでもあらう。或はそれとも、臨時農地等管理令は文字通り臨時の特別法であり例外法であるとして、依然として所有權絕對性の夢を見續けるであらうか。先きに述べたるが如く、社會の推移に從ひ一般法は常に特別法の形を以て分解し、その特別法の中に一見例外的に示された新法理こそ、やがて次の時代の一般法を創るものであることに、吾々は深く思を致さねばならぬ。契約も所有もその內容が國家の命令によつて規定されるものとすれば、前揭の勞働者災害扶助法により事業主が契約にもよらず又過失もなくして負擔する扶助義務の正體も、今や分明となつたであらう。卽ち、勞働者竝びにその遺族を扶助すべき事業主の義務は、偏に國家に對する義務なのである。さればこそ勞働者災害扶助法第七條には「事業主扶助ヲ爲スベキ場合ニ於テ其ノ資力アルニ拘ラズ扶助ヲ爲サヾルトキハ千圓以下ノ罰金ニ處ス」とその違反に對して刑罰の制裁を定めて居るのである。かくして事業主は自己の雇傭せる勞働者を扶助すべき義務を國家に對して負ふ。それはローマ法的な意味に於て單なる公法的關係でもなければ勿論單なる私法的關係でもなく、又公法と私法とによつて割取さるべき中間領域を形づくるものでもなくして、むしろ「公」の關係と「私」の關係とが相互に滲透して居るところにその特色がある。而して「公」と「私」との相互的內面的滲透は、ローマ法的世界に於てはその本性上企及し得ざるところである。(一)社會法はそれを所謂「新たな平面に於て」實現しようとする。その新たな平面とは、しからば、いかなるものでなければならないであらうか。

(一) 第七十六議會が新たに營團法なるものを成立せしめた結果として生れた三つの營團即ち住宅營團・帝都高速度交通營團・農地開發營團に對する學界の態度は、必ずしも好意的なものではなかつた。即ち、既成の公法人と私法人、社團法人と財團法人、公益法人と營利法人といふ分類の何れにも屬さない所謂中間法人或は中性法人として、營團自體が鵺的存在であるといふのである。しかし從來の分類を絶對のものとし、その何れにも屬さないものは鵺的なものであるといふ樣な觀點を固執する限り、今日動く法の姿は捉ふべくもないであらう。

「公」と「私」との相互的内面的滲透を可能ならしめるものとして先づ吾々に思ひ浮べられるものは、かのゲルマン法の根本特色であつた所有權の質的分割の體制であらう。といふのは、所有權が單に量的にのみ分割される場合には、先きに述べたるが如く「公」と「私」とは畢竟別個の系統を形づくるものとして精々たゞ一時的に外から觸れ合ひ得るのみであつて、所有權自體が質的に分割されることによつてのみ「公」と「私」とが相互に内面的に滲透することができるからである。げにゲルマン法の總有團體に於ては、成員は自己のためのみならず團體のために存在し團體も亦自己のためのみならず成員のために存在する、――卽ち團體の權利の背後には常に成員の權利が存在し、成員の權利の上には必ず團體の權利が隱んで居たのであつた。しかしその成員とは、個々の人間ではなくして實は家長たる身分の外化としての家屋敷であつた。かゝる運命的な身分關係が土地の關係の中へ固定されて頑强に保持されるとき、中世的封建制への推移は必然的であると云はねばならぬ。ひとたびローマ法的體制の洗禮を受けた現代社會が、かくの如き身分關係を根幹とする總有的體制へ逆行し得ないことは云ふ迄もない。しからば、現代に於て所有權の――否、更に一般に權利の質的分割の根本原理となるべきものは、何であらうか。

旣に述べたるが如く、人間の社會生活に於て單に「おのづから成るもの」の專制の行はれるところ中世的封建制が出現し、又單に「つくられたもの」の專制の行はれるところ多くの人間の生活を脅す全權支配が出現する。生きた人間が眞に生き得るためには、人間は「つくるもの」としての自己本來の主體性を恢復しなければならぬ。然しそれは各人が夫々個性を發揮すればよい、といふ風に簡單に考へることはできぬ。かく考へるのは宛も、各個人が自由に自己の利益を追求すれば其處に所謂「見えざる手」が働いておのづから社會全體の富裕と繁榮とが齎らされるといふアダム・スミスの樂天的な利益卽公益論の如きものである。（それは初期資本主義の社會に於てのみ、或る程度の妥當性をもつ。）（一）對之、自利の追求と個性の發揮とは、全然同日の論ではないといふでもあらう。誠に眞の個性は、多彩であればある程深い奥底に於て一大交響樂の如く、力強いハーモニーを奏でるものであらう。しかし人間の社會は、かゝる理想的な人間ばかりの集りではない。個性の發揮の名の下に、實は自利自益が追求せられて居る場合が全然ないと誰が斷言し得よう。このことは、普遍妥當的な世界に住んで居ることを以て自負する所謂文化人の中に、ひとをして顰蹙せしめる樣なエゴイストが決して少くはないといふ實狀を直視すれば、思半ばに過ぐるものがあるであらう。各人が夫々個性を發揮すればそれで國家社會が健全に發展するといふことが現實に簡單に實現せられるものならば、はじめから社會問題などといふものは起らない筈である。理想から隔たること餘りに遠き人間の集りであればこそ、社會は「見えざる手」に一切を委せて置くことはできず、常に體制を新たにして凡ての人の協力が保證せられる樣な機構を具體的に用意しなければならないのである。

(一) 尤もアダム・スミスと雖も決して無條件に私益と公益との一致を主張したのではない。彼の「見えざる手」の攝理に對する信仰は、各人の自制を條件とすることによつて成立し得たのである。卽ち、セルフ・インタレストの「セルフ」は自律・自治・自制などに於ける「セルフ」であつて、これら一連の言葉が十七世紀以後になつて初めて英吉利語に現はれて居ることは、十七世紀以來特に强められて來た「中流階級」的自主獨立の精神を背景とするものであることを物語るものであらう。

ローマ法的市民法的世界の避けることのできない危機を切り拔けて人間社會がその健全性を取戻すためには、「公」と「私」との內面的滲透を可能ならしめる樣な權利の質的分割の體制が實現せられねばならず、しかもその根本原理となるべきものはゲルマン法的團體法的於界に於けるが如く運命的な身分關係ではあり得ないことを述べた。といつて各人の個性の發揮を以て直ちに之に替へ得ないことも明かとなつた。めいめいがその素面をむき出しにしたまゝでは人と人との協働が圓滑に行はれ得ないことは、神ならぬ人間の免れることのできない制限であると云はねばならないであらう。こゝに於て吾々は、ローマ法的世界に於ける圓轉滑脫たる「私」を想起せねばならぬ。その潑剌たる活躍を可能ならしめたものは、先きに述べたるが如く誰もが代つて被り得る「面」であつた。たゞ、ローマ法的世界に於ては「面」が生きた人間を置き去りにして、それのみで謂はゞ自動的に活躍したところに根本的な缺陷があつた。「面」はあくまで人間の被るものでなければならぬ。しかも一見動かない「面」を被ることは、決して生きた人間を殺すことではない。能面には「喜びとか怒りとかといふ如き表情は、全然現はされて居ない。人の顏面に於て通例に見られる筋肉の生動が、こゝでは注意深く洗ひ去られて居るのである。だからその肉づけの感じは急死した人の顏面に極めてよく似て居る。……ところで此の能面が舞臺に現はれて動く肢體を得たとなると、そこに驚くべきことが起つてくる。といふのは、表情を拔き去つてある筈の能面が、實に豐富極りない表情を示し始めるのである。面をつけた役者が手足の動作によつて何事かを表現すれば、そこに表現せられたことは既に面の表情となつて居る。例へば手が涙を拭ふやうに動けば、面は既に泣いて居るのである。更にその上に謠の旋律による表現が加はり、それが悉く面の表情になる。これほど自由自在に、また微妙に、心の陰影を現はし得る顏面は、自然の顏面には存しない。さうして此の表情の自由さは、能面が何等の人らしい表情を固定的に現はして居ないといふことに基くのである。（笑ふ面は泣くことができないであらう。）……このやうな面の働きに於て特に吾々の注意を惹くのは、面がそれを被つて動く役者の肢體や動作を己れの内に吸收してしまふといふ點である。實際には役者が面をつけて動いて居るのではあるが、しかしその效果から云へば面が肢體を獲得したのである。」（一）勿論、かゝる働きが純粹に量的に分割されたり結合されたりするローマ法の「面」にとつて不可能なことは云ふ迄もない。ローマ法の「面」は生きた人間の被る「面」ではなくして、實は權利の「假面」だつたのである。肢體を獲得する「面」にして、はじめて人間の「面」であるといふことができる。しからば人間の働きを一層潑剌と活躍せしめる「面」とは、いかなるものであらうか。

（一）和辻哲郎「面とペルソナ」七―八頁

それは「職分」である、と私は考へる。職分は、――一方に於てはおのづから成る自然的有機的聯關の中に固定する運命的な「身分」から區別せられると共に、他方に於てはおのづから成るものから全然遊離して單につくられた機構的聯關の中を不羈奔放に活躍する「契約」とも異つて、――おのづからなる素質才能を機構的聯關によつて限定するところに成立する。それは既に機構的聯關によつて限定するものであるが故に、決してなまのまゝの素質或は才能をそのまゝ受け容れるものではない。例へば大學教授たる職分は、決して單なる學究的素質のみでは勤まらないのである。大學といふ研究と敎育とを兼ねた機構内の一員たるためには、單なる生來の素質や才能は揚棄されねばならないであらう。戰爭を知らずに研究に沒頭するといふ樣なことは、國家總力戰の遂行されつゝある今日、大學敎授としてはもはや許されないのである。しかしかくしてなまのまの個性を機構的聯關の中へ吸收して「職分」の面を被ることは、決して眞の個性の發揮を妨げるものではない。おのづからなる素質才能を機構的聯關によつて限定することによつてつくられた「職分」は、それを被るつくるものとしての人間を逆につくりかへすことによつて、いよいよ廣く豐かな地盤に於て眞に偉大なる個性の發揮を可能ならしめるであらう。しかもその職分も決して固定したものではなく、つくるものとしての人間をつくりかへすと共に又つねに新たにつくり直されるものとして、あくまで現實の人間と共に生きることをその特質とする。從つて例へば大學教授の演ずる役割は、決して大學令の規定の中に閉ぢ籠めらるべき性質のものではない。大學教授が一世を指導し得るだけの學問を以て國に報じ得るか否かは、一にその人物識見の如何に依る。職分は人間によつて生き、人間は職分によつて生きる。吾々が一工員として一會社員として將又一官吏として一定の機構の中に於て働くといふことは、決して個性的な自己を殺すことではない。一見没個性的な職分の「面」を被ることによつて、却つて眞に偉大なる個性の發揮が期待され得ることは上述の通りである。「面」としての職分は人間の自覺的活動を俟つてその肢體を獲得し、人間の活動は没表情的な職分の「面」を被ることによつて一層豐かな表情を潑剌と示すことができる。高度に企劃的構成を具へた今日の國家社會生活に於て、つくるものとしての人間が具體的にはつねに職分的存在である以上、生きた人間がその主體性を恢復するといふことは、各人がその職分を自覺的に遂行することによつて職分と共に生きることでなければならぬ。社會法が「公」と「私」との相互的内面的滲透を實現しようとする「新たな平面」とは、かゝる意味に於ての「職分」をその根本原理とするものでなければならないのである。

かゝる職分を根幹とする世界に於てこそ「公」と「私」とは、從來の外面的に對立する權立義務のみで固まつた生命のない聯關を揚棄して、内面的に協働することによつて共に潑剌と生きることが期待される。勿論そこに於ても猶、權利が語られ義務が口にせられるであらう。しかしその場合、同じく權利或は義務なる言葉を以て言ひ表はされる內容が、著しく變質して居ることを見逃してはならぬ。從來、權利の實質に關しては先づ意志說が主張せられ、對之——意志なき者に對しても權利は存在するが故に——意志說に對する批判として、權利を以て「法律上保護せられた利益」であるとする利益說が主張せられたのであるが、法律上保護せられた利益は必ずしも權利ではないところから「權利は法律によつて保護せられた利益に關して認められたところの活動の範圍である」(一)と歸結されるに至つた。此の說は今日までの實定法の解釋としては當を得たものであるが、しかし今や動く法秩序の中に於ける權利は「各自の職分に應じた活動の範圍」として觀念されねばならぬ。之をナチス的に表現すれば「權利は權利者が民族共同體內に於て一つの肢分的地位(Gliedstellung)を占めることに基く職務である」といふことになるであらう。(二)かゝる權利理論の立場に於ては、例へば私所有權と雖も——もはや絕對的な支配權ではなく——その內容は「所有物を公共のために最も役立つ樣に自己の責任を以て處理することの公からの委託」といふことになり、かくして「法的人格者が土地を所有する」といふよりは、むしろ「土地がその必要とする管理者として所有者をもつ」と云はねばならないであらう。即ち所有者は管理者としての責任をもつ。しかもそれは公から委託された管理の責任である。此の「公」からの信賴に對して「私」が責任を以て應へるとき、公私の內面的協働が如實に實現せられ、そこに於ては從來對立的に考へられた權利と義務とが責任を媒介として內容的に結びつくことゝなるであらう。卽ち、土地所有の權利は實は、土地管理の義務以外の何物でもないのである。否、單に同一人に於て權利と義務とが公に對する責任を媒介として內容的に結びつくばかりでなく、從來專ら利益の見地から全然正反對の位置に立つものと考へられた債權者と債務者との關係も亦、今日に於ては國民生活を企劃的に確保するために公から委託された――財の交易乃至活用を最も有效に果すべき――職分の擔當者として協同關係に立つ。公からの信賴に應へる責任感を以て夫々の職分を自覺的に遂行するとき、債權者と債務者の何れをも規定するものは、もはや單なる利潤の追求ではなくして遙かに崇高なる信義誠實の原則であらう。しかもかゝる事態の實現は決して單なる空想ではない。又大東亞戰爭勃發後急激に進展した國家統制が、突然齎したものでもない。それは事實上疾くから準備せられて居たのである。旣に數年前「日本經濟の再編成」を說いた笠信太郎氏に依れば、八百屋さんや肴屋さんの商賣氣がそのまゝ近代企業運行の動力であると思ひ込んで居る個人商店主的な考へ方はさて措き、「近代大企業に於ては生產は旣にカルテル、トラストの形態を結んで個人的な・無秩序な・投機的な・無政府的な動きをなさず一つの社會的規制を以て行はれつゝあると同時に、一方ではこれらの企業に於て働く人々が旣に個人的營利心を活動の直接の動機とはせず、むしろまづく個人的營利心を以て勝手に動いたのでは會社經營は却つて動かなくなつて居るのであつて、彼自身は漠然としてではあれ社會的職能を遂行しつゝあるといつた意識で働いて居るといふことは、――その各人の活動の總結果がこの會社への投下資本への利潤に結晶するといふことはいま別問題として――近代大企業を運用して居る人々の大部分の意識が實は既に產業活動を純粹に國家的社會的職能に進めんとする充分の用意が出來て居」(三)たと云つてもよいのである。かくして「身分より契約へ」が舊體制の方向であつたとすれば、新體制の方向は「契約より職分へ」でなければならぬ。

(一) 岩波　法律學小辭典　二八九頁

(二) ナチスの理論家ラレンツに依れば、法は民族共同體の生活形態である。從つて、それは民族協同體に外から着せかけられたものではなく、まさにその存在秩序として協同體と共に常に在るものである。尤もその協同體なるものは單なるザインではなくして、同時に當に實現さるべきものといふ意味を含んだ理念的存在なのであるから、法の使命はその理念實現のために、眞の自由なる協同體に於ける肢分的構成員の協働を可能ならしめ・その生活を確保するところにあると云はねばならぬ。

(三) 笠信太郎「日本經濟の再編成」一七二頁、一五一頁

自由主義經濟に對する批判は、その標語たる「經濟人」(homo oeconomicus) に對する峻烈な批判

の形をとるのがつねである。そして只管營利を追求する所謂經濟人に代つて、國士的經濟人の出現が要望されるのである。しかしもと〳〵エコノミクスの原語たるギリシャ語のオイコノミコス(「家政に關する」)にしても、又經濟なる語の由來する「經世濟民」にしても、そこから「無限の營利慾」を搾り出す何のよすがもない。むしろ「國士的經濟人」などといふのは、一種の同語反覆であるとさへ考へられるであらう。しかしそれにも拘らずホモ・エコノミクスが攻撃される所以は、それが――人間を具體的な現實から完全に抽象して營利の塊に作り上げてしまふ――英吉利正統派經濟學の標語に用ひられたが故に他ならぬ。しかも同じ英吉利の經濟學者たるマーシャルがホモ・エコノミクスの抽象性を指摘して、これを非イギリス的思想と斷定して居るのは注目に値するであらう。卽ち曰く「リカルドウの頭腦は功罪共に彼のユダヤ人的血統に跡づけ得る。英吉利の經濟學者であのやうな型の頭腦をもつて居た人は今までになかつた」と。(一)尤もリカルドウ當時の the City of London の人達は、今日から見れば遙かにホモ・エコノミクスに近かつたことは事實であらう。從つて、今日その抽象性が非難されるリカルドウ經濟學の方法も、當時に於てはそれ程現實から遊離したものではなかつたと云ふこともできるかも知れぬ。しかし當時に於てすら、かかる型の人間が決して一般に是認されたものでないことは、ヴィクトリア王朝文學が一致して攻擊の矢を放つて居ることによつても明かである。(二)無限の營利慾の化身たることが、決して人間の免るべからざる運命なのではない。(三)且又、ホモ・エコノミクスが或る時代に現に華々しい活躍を示すことができたのも、實はそれが單に無限なる利潤を追求することによつてではなく、それと相表裏して卓拔なる創意工夫を遺憾なく發揮したが故に他ならぬ。勿論、實際の場合には利潤の追求と創意の發揮とは常に必ずしも表裏の關係に於て一つに結びついては現はれず、重點が一方に偏して居ることがむしろ普通なのであらう。しかし若し建築屋と建築家の區別に類するものが凡ての經濟人について言ひ得られるものとするならば、「實業家」と呼ばれ得る程の人は結果としての金儲けが目的なのではなく、仕事それ自體の中に生き甲斐を感じて居る人であるといふことができる。ホモ・エコノミクスの實體についてのかゝる認識は、吾々に明るい希望を齎らす。それは本來の經濟人即ち「經世濟民」的人間の雄々しき登場を期待せしめるからである。國家意識を以て夫々の職分に應じて創意工夫を遺憾なく發揮する人、——これが今日要求せられる經濟人に他ならぬ。かゝる經濟人の出現は勿論、手を措いて待つて居てひとりでに到來するものではない。これ即ち、經濟倫理の昂揚が聲高く繰返し叫ばれざるを得ない所以である。

(一) 上田辰之助「經濟人・職分人」二一〇頁以下

(二) ホモ・エコノミクスを極端に誇張して描寫した Mandeville: The Fable of the Bees は囂々たる反對論を招いて遂に禁書の厄に遭つて居る。

(三)

ルヨ・ブレンターノは、無制限な營利の追求が決して資本主義的經濟秩序の發生をまつてはじめて現はれたものではないこと、及び資本主義的經濟秩序の出現によつて惹き起された唯一の變化は、——封建的な經濟秩序に代つて資本主義的なそれが現れたのに應じて——無制限な土地追求の代りに、貨幣及び貨幣價値の追求が現はれたといふ相異があるだけであるといふ (Lujo Brentano: Handel und Kapitalismus.)。しかし封建制の下に土地が追求せられる場合と、資本主義機構の中に於て貨幣價値が追求せられる場合との著しい相異を見逃してはならぬ。卽ち、現に在る土地しかも自分の手の屆き得る土地が極めて限られたものであるのに對して、必ずしも現物の裏づけを必要としないことをむしろ特質とする貨幣は、無限にその所有慾を驅り立てることができるからである。かくして所謂「無制限な營利の追求」は、やはり資本主義の發生と共に現はれた著しい現象であると云はねばならないのである。從つてそれは決して人間の免れることのできない宿命なのではなく、資本主義の弊害の超克と共に又克服され得るものなのである。

しかし經濟倫理の昂揚は、たゞ聲を高くして說敎することによつて實現され得るものではない。一方に於て法的機構を整備することによつてその地盤をとゝのへると共に、他方に於ては現實から遊離した道德が經濟を外から導くのではなく——道德そのものが現實の底にまでその根をおろさねばならぬ。曾てミルが「一本の釘を打つことも自然法則に從ふことである」と言つたのに對して、シユモーラーは「一本の釘さへも倫理なくしては壁に打ち込むことができない」と言つた。今後の法律はもはや經濟がその中で自由勝手に振舞ふ單なる外枠ではなく、道德は又たゞ外から注意を與へる監督ではないであらう。しからば　法律と道德とはいつたい如何なる關係に立つものなのであらうか。

彙報（昭和十七年十月一日より同十八年九月三十日まで）

哲學科講義題目（昭和十七年十月同・十八年九月）

【東洋哲學】

今村教授　講讀及演習（論語集註）
同　講讀及演習（周易本義）
後藤助教授　東洋哲學史概說
同　特殊講義（性理學の倫理思想）
同　講讀及演習（左傳註疏）

【西洋哲學】

岡野教授　哲學概論
同　講讀及演習（Hume, Treatise of Human Nature）
淡野助教授　西洋近世哲學史
同　講讀及演習（Hegel, Die Vernunft in der Geschichte）

【倫理學】

世良教授　倫理學概論
同　東洋倫理學概論
同　講讀及演習（T. H. Green, Prolegomena to Ethics）
田中助教授　西洋倫理學史
同　講讀及演習（Kant, Grundlegung zur Metaphysik der Sittn）

【心理學】

力丸教授　心理學概論
同　講讀及演習（Koffka, Principles of Psychology）
力丸教授・藤澤助教授　心理學實驗及演習
藤澤助教授　講讀及演習（H. Werner. Comparative Psychology of Mental Development）

【教育學】

伊藤教授　教育學概論
同　特殊講義（大東亞新秩序と教育問題）

同　講讀及演習（Hegel, Enzyclopädie,　教授　力丸慈圓氏
III. Teil ; Philosophie des Geistes）

福島助教授　教育史概説

同　特殊講義（社會的場と人格）

哲學會主催公開講演會

【秋季講演會】（第十七回）

日時　昭和十七年十二月五日

場所　文政學部土俗學特別教室

演題及講演者

「人格形成の科學としての教育學の可能性とその方法」

助教授　福島重一氏

【春季講演會】（第十八回）

日時　昭和十八年六月十二日

場所　文政學部心理學特別教室

演題及講演者

「形態心理學説と恒常假定」

昭和十九年十二月一日印刷　臺北帝國大學文政學部
昭和十九年十二月五日發行　哲學科研究年報第十輯

定價　金六圓五拾錢

臺北帝國大學文政學部哲學會
編輯者　代表者　今井義忠

臺北市古亭町一八一
印刷者　吉富保之

臺北市榮町四丁目三二番地
發行兼印刷所　臺灣新報社